Micheal Klevenhaus is an actor, author, musician and scholar based in Bonn. He is the founder of the Gaelic Academy in Bonn, the only educational institution in Germany to offer a range of Gaelic courses at all levels.

By the same author

Fiction

Top Twenties, ann an *An Claigeann aig Damien Hirst agus Sgeulachdan Eile* (Clàr, 2008)
Saorsa gun chrìch, ann an *Saorsa – Sgeulachdan Goirid* (Clàr, 2011)

Non-fiction

Schottisch-Gälisch Wort für Wort (Reise Know-How, 2004)
Lehrbuch der Schottisch-gaelischen Sprache (Buske, 2009)
Grammatik-Übungsbuch Schottisch-Gälisch (Buske, 2015)
Wanderlust eadar dà shaoghal, ann an *Struileag, Shore to Shore* (Birlinn, 2015)

AN UINNEAG DON IAR

Micheal Klevenhaus

First published in 2015 in Great Britain
and the United States of America by
Sandstone Press Ltd
Dochcarty Road
Dingwall
Ross-shire
IV15 9UG

www.sandstonepress.com

Lasag is an imprint of Sandstone Press Ltd.

Lasag's series of Gaelic readers offers young adults a range of
engaging, easy-to-read fiction, with English chapter summaries
and glossaries to assist Gaelic learners.

The publisher acknowledges support from the Gaelic Books Council
towards publication of this volume.

**COMHAIRLE NAN
LEABHRAICHEAN**
THE GAELIC BOOKS COUNCIL

ISBN: 978-1-9010124-86-4
ISBNe: 978-1-910124-87-1

Cover design by Mark Swan
Typeset by Iolaire Typesetting, Newtonmore.
Printed and bound by Totem, Poland

Do Chlaus

1

One by one the windows of Bernauer Strasse are being bricked up as the Berlin wall is erected. It's the Schmidt family's last chance to escape to the West, but things don't go to plan.

B' e sin an turas mu dheireadh a dh'òladh iad cofaidh aig a' bhòrd seo sa chidsin aca. Bha na bagaichean agus na màileidean deiseil agus a' feitheamh san t-seòmar-chadail. Bha e air feuchainn ri ròpa a cheannachd, ach bha e air a bhith duilich fear fhaighinn sa bhaile. Cha robh ròpannan rim faighinn idir tuilleadh sna bùthan agus nam biodh, bha cunnart gum biodh cuideigin a' faighneachd dheth dè dhèanadh e leis. Ròpa, ticead-trèana, ràmh, rothar ùr: b' e siud na nithean cunnartach. Bu chinnteach gun tachradh ceasnachadh nan ceannaichte leithid de bhathar connspaideach ann am bùth.

Ach fàsar cruthachail ann an èiginn. Mar sin ghoid e fear à seann eaglais far nach robh clagan tuilleadh ach na ròpannan an crochadh anns an tùr fhathast. Fear làidir a bh' ann agus bha e an dòchas gum biodh e fada gu leòr.

An dàrna rud a bha a cheart cho connspaideach is cunnartach, b' e sin gun deach aige an ròpa a thoirt don fhlat suas chun an treas làir. Thug e tro ghàrraidhean an cùl nan taighean e, thairis is seachad air ballachan, tro lios an nàbaidh. Bha e a' gabhail cùram gun a bhith a' saltradh air a' ghlasraich agus air na flùraichean agus san dearbh

---

saltradh *trample*

mhionaid smaoinich e nach biodh e gu diofar co-dhiù. Chaidh an nàbaidh fhuadachadh às an taigh aige mar-thà agus bhiodh iad ga thoirt-sa às an fhlat aige cuideachd a dh'aithghearr. An-diugh no a-màireach, b' e siud a' cheist ach bu chinnteach gun tigeadh iad. Anns na trì làithean mu dheireadh cha b' urrainn don teaghlach an taigh fhàgail tro dhoras-aghaidh an taighe tuilleadh.

Far am b' àbhaist cabhsair is sràid a bhith air beulaibh na dachaigh aca, bha crìoch eadar-nàiseanta a-nise eadar dà shaoghal phoileataigeach.

Thall an siud – roinn nam Frangach, 's a-bhos roinn nan Ruiseach.

Gu h-obann air latha brèagha samhraidh, bha na saighdearan air tighinn. Bha iad air trannsa an taighe a dhùnadh agus doras an taighe – agus b' e sin doras chun an Iar – a ghlasadh. Bhon uair sin cha b' urrainn dhaibh an taigh aca fhàgail ach tron doras-chùil. Cha robh dol às ann tuilleadh.

Ann am pàirtean eile den bhaile bha iad air tòiseachadh air balla a thogail. Balla a bha a' ruith tron bhaile air fad, a' roinn agus a' sgaradh an Iar bhon Ear. Cha b' urrainn dhaibh sin a dhèanamh san t-sràid aca fhèin. Bha crìoch eadar an Iar agus an Ear a' ruith dìreach air beulaibh nan taighean. Mar sin chaidh co-dhùnadh leis a' phàrtaidh agus an riaghaltas na taighean fhalamhachadh agus na daoine fhuadachadh. Far an robh na taighean falamh mar-thà, chaidh na h-uinneagan is na dorsan a bhriseadh a-mach às na ballachan agus chaidh na tuill a lìonadh le clachan. Cha robh ach beagan uinneagan fosgailte air am fàgail – nam measg uinneagan an dachaigh fhèin.

Agus thigeadh iad.

Is dòcha a-nise.

Is dòcha an leth-uair a thìde.

Is dòcha a-màireach gus am fuadachadh cuideachd.

Ach le beagan fortain bhite na bu luaithe.

Nise bha an ròpa a' feitheamh orra san t-seòmar-chadail.

Bha aghaidh uinneag an t-seòmair-chadail ris an t-sràid.

Agus bha iad a' feitheamh sa chidsin, e fhèin, i fhèin agus an dithist chloinne.

Choimhead e a-mach air an uinneig.

Bha an t-sràid làn daoine.

Saighdearan Frangach is Breatannach nam measg.

Agus luchd-smàlaidh cuideachd.

Bha iad ann fad làithean, a' cuideachadh nan daoine a bhiodh a' leum a-mach às na h-uinneagan. Dìreach an-dè chaochail duine – fear òg a bh' ann – a bha air leum bhon t-siathamh làr, fada ro àrd airson a ghlacadh leis an luchd-smàlaidh.

Chaidh e air ais don trannsa is dh'èist e tron doras.

Cha chuala e dad.

A rèir coltais bha an taigh falamh.

Thill e don t-seòmar-chadail, feuch nach dèanadh e fuaim sam bith. Bha e cinnteach gun robh saighdearan a' feitheamh san fhlat fodhpasan, feuch an cluinneadh iad gun robh an teaghlach os an cionn an impis teicheadh.

Chuir e an rèidio air.

Chaidh a bhean don taigh-bheag is leig i uisge ruith às a' ghoc.

Fuaimean àbhaisteach beatha teaghlaich air latha brèagha samhraidh ann am flat am badeigin ann am mòr-bhaile.

Agus gu h-obann thachair a h-uile sìon uabhasach luath.

Dh'fhosgail e an uinneag.

Chunnaic daoine air an t-sràid e agus thòisich iad air èigheachd.

Leig e an ròpa a-mach air an uinneig agus ann am priobadh na sùla mhothaich e nach robh e fada gu leòr.

Chunnaic e an luchd-smàlaidh a' teannachadh air an taigh

agus bha e cinnteach gun do mhothaich na saighdearan fodhpa dheth cuideachd.

Bha iad ann an ceud cabhaig a-nist.

Ghabh a bhean – an rugsag leis an nighinn oirre – grèim air an ròpa, shreap i tron uinneig is sìos an ròpa gus an do leig i dhi fhèin tuiteam gu plangaid an luchd-smàlaidh.

A-nis ghabh e na màileidean is na bagaichean is thilg e gach aon mu seach tron uinneig, an dòchas gun ruigeadh iad an t-sràid gu sàbhailte ach gun a bhith a' smaoineachadh air dad a bha annta a ghabhadh briseadh.

Chuala e na daoine air an t-sràid ag èigheachd gum bu chòir dha, gum b' fheudar dha, leum cuideachd!

Agus esan cas a' falbh is cas a' fuireach leis na bagaichean a bha air am fàgail fhathast.

Nam measg am baga mu dheireadh leis a' mhac bheag aca, a bhiodh e fhèin a' giùlan chun an Iar.

Chuala e guthan is fuaim air an staidhre.

Thàinig iad.

Bha e na sheasamh anns an t-seòmar-chadail agus am balach beag ri a thaobh ann am baga fosgailte is e a' gal.

Chunnaic e a bhean air an t-sràid ag èigheachd agus a' gal cuideachd.

Agus na saighdearan agus an luchd-smàlaidh air an t-sràid a' guidhe air a bhith a' leum gun dàil.

Chuala e briseadh tron doras.

Bha e mar gun lìonadh ceudan de shaighdearan am flat a-nise, gach fear le gunna ag innse dha gun a bhith a' teicheadh.

Thionndaidh e chun na h-uinneige agus mhothaich e gun robh e air mearachd mhòr a dhèanamh.

Cha b' urrainn dha sreap sìos le mhac anns a' bhaga na làmhan.

---

gach aon mu seach *one after the other*

Agus cha ghabhadh e air am baga leis a' bhalach a thilgeil don t-sràid...

Feasgar chunnacas dealbhan ann am prìomh phàipearannaidheachd a' bhaile:

Fireannach aig uinneig fhosgailte, eu-dòchas na shùilean.

Saighdearan a' cur grabadh air bho bhith a' teicheadh tron uinneig.

Boireannach air beulaibh an taighe a' fannachadh agus a' tuiteam don làr.

Nighean bheag a' coimhead a-mach air rugsag is i a' gal.

Na ceudan de dhaoine a' togail fianais, a' trod is a' gearan air taobh eile na sràide.

Luchd-smàlaidh a' giùlan a' bhoireannaich agus a nighinn gu carbad-eiridinn.

Luchd-poileataigs ag iarraidh air na h-Aimeireaganaich rudeigin a dhèanamh.

An ath mhadainn cha do mhothaich duine na thachair an latha roimhe. Seach gun robh ceithir uinneagan eile air an dùnadh le clachan. Bha gnothaichean cho olc, sgreataidh is uabhasach agus gun robh muinntir Bherlin cinnteach nach maireadh an suidheachadh sin mòran na b' fhaide.

Mearachd eile.

---

a' cur grabadh air *hindering, preventing*

2

Caitrìona is tidying her mother's house when she finds a box of letters from Germany. It must have been years since she had any links with her homeland, so why has she kept these, and who wrote them?

'S e togalach beag a bh' ann, taigh àbhaisteach, togte anns na trì-ficheadan. Seòmar-suidhe, seòmar-cadail, cidsin, rùm-ionnlaid, similear agus b' e sin e. Bha seòrsa de ghàrradh timcheall air an taigh. Deanntagan ri taobh an dorais agus seileastair is feur air cùlaibh an taighe far am b' àbhaist do lios a bhith. Ròp-aodaich falamh eadar dà phost. Air adhbhar air choreigin cha robh feans ann. Saoil dè cho tric a dh'itheadh na caoraich a h-uile sìon san lios ud?

Thàinig toit às an t-similear.

Bha aon rud annasach mun taigh seo agus b' e sin an uinneag mhòr a bha a' coimhead chun na machrach. Cha robh a leithid aig na taighean eile sa bhaile agus bhiodh na seann daoine ag ràdh gur e rud gun chiall a bhiodh ann, uinneag cho mòr a thogail air taobh an Iar an taighe, air taobh fuaradh an eilein far am biodh an t-sìde garbh aig amannan. Duine gun sgot mu ciamar a thogadh tu taigh an seo, ged a bha esan às an eilean, ach ise, uill...

Bha na cùirtearan rud beag fosgailte is chunnacas solas san t-seòmar-suidhe. Nam fosgladh doras an taighe, chìte trannsa ghoirid agus doras eile don t-seòmar-suidhe. Bha

---

seileastair *sedge, flag iris*

àirneis shìmplidh ach feumail ann – dìreach mar a tha ann
an taighean seann daoine aig nach robh ùidh tuilleadh ann
an cus sgeadachaidh is glanaidh.

Àite-teine, sòfa air a bheulaibh, bòrd beag air brat-ùrlair.
Cha mhòr gun robh dealbh idir crochte air na ballachan.
Is dòcha aon no dhà – dealbhan-camara a bh' annta, ach
bho thaobh a-muigh chan aithnicheadh tu dè no cò bha ri
fhaicinn annta. Air taobh clì an àite-theine bha doras eile
don chidsin. An aon rud a b' fhiach ainmeachadh ann, ri
taobh inneal-nigheadaireachd ùir, ghleansaich, b' e sin an
stòbha. Seann fhear brèagha a bh' ann. Chosgadh tu fortan
air an-diugh. Nach tuirt cuideigin gun do thogadh taighean
timcheall air leithid de stòbha anns na seann làithean?
Far am biodh stòbha, bhiodh dachaigh is còmhradh mun
chagailt. Bha coire air, ach bha e fuar.

Ann an dòigh mhothaicheadh tu aig leac an dorais gun
robh an taigh falamh. Ach gu tric bidh coltas beò is trang
air taigh fhathast fhad 's a tha teine agus solas air. Ach
bhon a chunnacas anns an t-seòmar-chadail bha e soilleir
nach robh duine a' fuireach an seo tuilleadh. Leabaidh
gun aodach, bobhstair rùisgte. Preasa fosgailte agus sac
plastaig gorm làn aodach air an làr eadar am preasa agus
an leabaidh. Dh'innis an t-aodach gum b' e boireannach a
bha air a bhith a' fuireach anns an taigh seo. Agus dh'innis
na dealbhan os cionn na leapa agus an t-uisge coisrigte air
a' bhòrd-leapa gum b' e Caitligeach a bha innte. Ach an robh
sin cudromach tuilleadh? Bha e fada na bu chudromaiche
gun rachadh na preasan fhalamhachadh mus grodadh a
h-uile sìon leis cho fliuch 's a dh'fhàsadh e ann an taigh
nach rachadh a theasachadh gu cunbhalach tuilleadh.

Bho thaobh a-muigh chualas fuaim càir. Cha deach e
seachad, stad e air beulaibh an taighe. Dh'fhosgail an

---

uisge coisrigte *holy water*

doras agus thàinig boireannach a-staigh. Meadhanach àrd, falt bàn, goirid agus *jeans* is geansaidh oirre. Leithid de bhoireannach far nach biodh fios agad air dè an aois a bha i. Is dòcha gun robh i anns na dà-fhicheadan. Chuir i a bòtannan dhith agus chaidh i don t-seòmar-chadail agus chùm i oirre leis an obair aice. Bha sac plastaig eile aice is thòisich i air aodach eile a thoirt a-mach às a' phreasa agus a phùcadh a-steach don t-sac. Cha robh mòran a-riamh aice mu dheidhinn aodach ach bhiodh aig a màthair. Ged nach fhaca i i ach ann an aparan fad a beatha, ach aig an Nollaig a-mhàin, bha am preasa seo làn aodach den a h-uile seòrsa. Agus bogsaichean làn bhrògan cuideachd. Ann an àite far am biodh pàidhir bhòtannan na b' fheumaile. Cò dha a bheireadh i na brògan? Gheibheadh i cuideigin airson an aodaich gun teagamh, ach na brògan?

Bha i a' rùrachadh anns na bogsaichean feuch an dèanadh i taghadh air dè shadadh i agus dè chumadh i nuair a thuit aon de na bogsaichean às a làimh don làr. Chaidh na bha anns a' bhogsa seo a sgaoileadh air feadh an làir. Pàipearan, dealbhan agus a rèir coltais litrichean. Bha iad ceangailte le ribean dearg – coltas *cids* orra, mar a chunnacas anns na filmichean sìmplidh air an telebhisean. Dh'fhuasgail i an ribean agus seadh, is e litrichean a bh' annta. Litrichean le seann stampaichean na Croise Deirge orra, litrichean ann am Beurla, tè ann am Fraingis ach a' chuid a bu mhotha dhiubh ann an Gearmailtis. Sgioblaich i an làr, chuir i na litrichean air ais don bhogsa is thug i am bogsa leatha don t-seòmar-suidhe, far an robh i na bu bhlàithe is na bu chofhurtaile. Shuidh i air an t-sofa is sheall i tro na litrichean a-rithist. Cha robh fios aice gun robh ceangail fhathast air a bhith ann eadar a màthair agus an dùthaich a dh'fhàg i o chionn fhada – a' Ghearmailt.

---

pùcadh *shove, stuff*
cids *kitsch*

Cha robh a màthair air bruidhinn mun Ghearmailt, ach gun tàinig i à Berlin an Ear agus gun do thachair i ri a h-athair ann am Berlin an Iar far an do phòs iad. Dh'iarr a màthair oirre an cànan ionnsachadh cuideachd agus chòrd e rithe rudeigin ionnsachadh nach robh aig càch. A-nis bha na litrichean seo na làmhan agus thòisich i air aon dhiubh a leughadh, an toiseach gu slaodach, stadach ach thuig i ciall na ciad litreach gu math furasta.

Potsdam, den 10. Oktober 1967

Liebe Marie,
'S e seo a' chiad litir a fhuair thu bhuam bho chionn deagh ghreis. Tha cead agam sgrìobhadh a-rithist. Tha mi gu math. Tòisichidh mi air obair ùir an-ath-sheachdain. Tha Alexander glè mhath cuideachd. Tha e anns an sgoil a-nise. Feumaidh mi stad a-nise. Cluinnidh tu bhuam a dh'aithghearr.
Ich liebe Dich

Dein Hans

Choimhead i air an litir.
Ich liebe Dich. Dein Hans.
B' e sin aon de na ciad rudan a dh'ionnsaicheas tu anns gach cànan:
Tha gaol agam ort.
Hans.
Iain ann an Gàidhlig.
Cò an Hans a bha seo? Agus Alexander?
Saoil am biodh seòladh air an litir?
Cha bhiodh. Bhathar air cèisean nan litrichean a shadadh uile a rèir coltais.
Chaidh a sgrìobhadh ann an 1967.
Marie.

Bhruidhinn i am facal a-rithist agus a-rithist anns a' Ghearmailtis. Cha chuala i a-riamh ach Màiri nuair a bhiodh cuideigin a' bruidhinn mu a màthair.

Marie.

Màiri.

Agus a-rithist Marie.

Chuala i seirm aig an doras. Dhùisg sin às a beachdan i is thionndaidh i gus an doras fhosgladh.

Bha Eilidh, a nàbaidh, ag iarraidh cuideachadh airson a-nochd. Cèilidh nan nàbaidhean a bh' ann agus bha tòrr ri ullachadh. Chuir i an solas dheth, dhùin i an doras agus dh'fhalbh iad còmhla.

Dh'fhàg i an litir air a' bhòrd anns an t-seòmar-suidhe.

Ann an solas an teine chunnacas na h-ainmean.

Marie

Agus Hans.

3

Caitrìona can't stop reading the letters, but they reveal some surprising information about her family and raise some unsettling questions about her own identity.

A' chiad rud a rinn i nuair a bha am bàta air cìdhe an Òbain a ruigsinn, b' e sin gun deach i don bhùth-leabhraichean a bha mu choinneimh taigh-òsta Cholumba agus cheannaich i a h-uile rud mun Ghearmailt a bha ri fhaighinn. Leis an fhìrinn innse, cha robh mòran ann seach na leabhraichean àbhaisteach mun darna cogadh, nach robh seachad fhathast nan creideadh tu na bha air an sgeilp-leabhraichean. Dìreach aon leabhar-turasachd agus fear le dealbhan-camara de na togalaichean as cliùitiche anns a' Ghearmailt. Àrd-eaglais Chologne, an taigh mòr aig Tèarlach Mòr no Charlemagne, caisteal Neuschwanstein ann am Babhàiria a thog rìgh a bha às a rian, agus mar sin air adhart. Seachad air Dresden le tobhtaichean na h-eaglaise agus baile mòr Bherlin anns a' chaibideil mu dheireadh: lùchairtean is gàrraidhean Photsdam, Cäcilienhof, Sanssouci agus Eilean nam Peucag.

Nise bha i air ais aig an obair anns an sgoil. Bha na sgoilearan air falbh agus ged a bha tòrr obrach air thoiseach oirre, bha i a' togail dhealbhan na h-inntinn an àite deuchainnean a cheartachadh.

Gun fhiosta dhi nochd Hans agus Marie agus iad a' coiseachd tro thallaichean òir Sanssouci, a' gabhal cuairt air Eilean nam Peucag mus do ghabh iad an tì fo sheann chraobhan ann an gàrradh fo làn bhlàth.

Rinn i gàire.

Chan fhaca i Màiri a-riamh ach ann an aparan agus i ag obair aig an taigh. Seach anns na làithean nuair a bhiodh i ag obair mar rùnaire.

Màiri.

Màiri Nic a' Ghobhainn.

Marie Schmidt anns a' Ghearmailtis.

A màthair a phòs saighdear Breatannach ann am Berlin.

An saighdear a thug dhachaigh leis i gu eilean air iomall a' chuain.

Cho fada don Iar 's a ghabhadh. Dìreach an t-àite ceart dhi.

A Màthair a rug i fhèin, Caitrìona, ann an ospadal ann am Berlin anns a' Ghearmailt ann an 1961.

Às dèidh dhaibh na ciad bliadhnaichean aca a chur seachad ann am Berlin, bha a h-athair air an t-arm Breatannach fhàgail agus thill e air ais don eilean far an do thogadh e agus far an d' fhuair e obair aig na rocaidean an ceann a tuath an eilein. Bha croit aig an teaghlach. Croit meadhanach mòr a bh' ann agus ged nach do dh'fhàs iad beairteach – ach cò bhiodh a-riamh air fàs beairteach le obair na croite? – thòisich a màthair le bhith ag obair mar rùnaire aig na rocaidean cuideachd agus dh'ionnsaich i a' Ghàidhlig bho na nàbaidhean anns a' choimhearsnachd.

Cha deach aice an litir fhuadachadh bho h-inntinn.

Hans. Cò an Hans a bha seo? Cha do dh'innis a màthair dad dhi a-riamh ma dheidhinn.

Bha e doirbh dhi coimhead air na deuchainnean a bha rin ceartachadh. Bha an deasg làn dhiubh aig toiseach nan saor-làithean. B' fheàrr leatha tilleadh do thaigh a màthar feuch am faigheadh i barrachd a-mach mun duine sin.

Air ais don obair. Bu bheag oirre na deuchainnean a

cheartachadh. Agus bha a smaointean a' tionndadh 's a' tilleadh
do na litrichean. Agus aig an aon àm smaoinich i gun robh an
obair aice gun chiall is gun luach sam bith, nuair a chunnaic
i mearachdan nan sgoilearan às dèidh dhi a bhith a' teagasg
a' chuspair dhaibh fad seachdainean. Seadh. Dìreach. Bha
Napoleon na mhac do Louis XIV agus phòs e Marie-Antoinette
a chaidh a dhì-cheannachadh leis na Nasaich nuair a ghabh iad
sealbh air an Fhraing ann an 1940. A Mhoire Mhàthair!

B' fheàrr leatha cumail oirre leis na litrichean san
t-seòmar-chadail an taigh a màthar. Ach air ais gu Napoleon
anns an Ruis agus Wellington ann an Waterloo.

Eachdraidh na Roinn Eòrpa.

Eachdraidh na Prùise.

Eilean nam Peucag.

Hans agus Màiri.

Cha robh cothrom air. Dh'fhàg i an deasg agus dh'fhàg i
Wellington is Napoleon.

An ceann còig mionaidean bha i air ais ann an taigh a màthar.
Bha an litir air a' bhòrd dìreach mar a dh'fhàg i i. Dh'fhosgail i
am bogsa leis na litrichean eile. Rùraich i anns a' bhogsa is thog
i litir air choreigin na làimh is thòisich i a leughadh.

Potsdam, den 21.5.1969
Liebe Marie,
Tha ochd bliadhna seachad a-nise on a chaidh ar sgaradh.
Cha chreideadh tu mar a tha mi a' faireachdainn fhathast.
Carson nach freagair thu na litrichean agam? Is dòcha nach d'
fhuair thu iad. Chan eil e cho furasta dhuinn sna làithean-sa
litrichean a sgrìobhadh bho aon taobh den Ghearmailt don
taobh eile. An ruig iad thu air taobh eile den bhalla idir? Chuir
mi iad don Chrois Dheirg an dòchas gu bheil fios acasan far a

---

dì-cheannachadh *beheading*
gabh sealbh air *occupy, take possession of*
a' Phrùis *Prussia*

*bheil thu. Ach cumaidh mi orm le sin ann an dòchas gun ruig
iad. Tha Alexander ochd bliadhna a dh'aois a-nise agus ged
nach fhaca e thu fad greiseig, innsidh mi dha mu do dheidhinn
feuch nach dìochuimhnich e a mhàthair. Tha e ann an sgoil
eile a-nise agus tha e a' còrdadh ris gu mòr.*

Cha mhòr nach do thuit an litir às a làimh leis cho
annasach 's a bha an naidheachd gun robh teaghlach aice
ann an dùthaich eile. Bha clann eile air a bhith aig a màthair.
Agus a rèir coltais bha bràthair aice fhèin, Alexander,
bliadhna nas sine na i fhèin agus bha a màthair air a mac
fhàgail air cùlaibh a' bhalla.
Thog i an litir agus chùm i oirre a' leughadh.

*Cha robh e furasta dhomh nuair a chaill mi m' obair on a theich
thusa ach tha mi toilichte nam ghàirnealair anns na pàircean
an seo. Is toil leam an obair – gu h-àraid as t-samhradh ach
tha obair gu leòr agam ri dèanamh sa gheamhradh cuideachd.
Agus cuimhnichidh mi an uair sin, nuair a choisicheamaid tro
ghàrraidhean Sanssouci còmhla anns an t-sneachd àrd, mi fhìn
is tu fhèin agus am balach beag òg againn.*
Gad ionndrainn
Hans

Cha b' urrainn dhi creidsinn na leugh i. Nochd
cuimhneachain air cuairtean a ghabh a pàrantan còmhla rithe
– cha b' ann anns an t-sneachd agus cha b' ann sa gheamhradh
ann am Potsdam – 's ann a-bhos a bha e, air a' mhachair fo
làn bhlàth as t-samhradh. Agus a-nist nochd an dealbh seo
mu chuairt eile còmhla ri mac eile agus còmhla ri duine eile.
Agus ann an dòigh bha i a' faireachdainn mar gun robh i air a
màthair a chall anns an dearbh mhionaid ud. Agus cò am fear
a bha na h-athair? An duine a phòs a màthair ann am Berlin
an Iar ann an 1962, no am fear a dh'fhàg i anns an Ear?

4

Màiri has to make a fresh start in West Berlin and she soon gets a job working for the British, but it's only a short journey to Bernauer Strasse and the now deserted flat she left behind her.

'Sloinneadh?'
    'Schmidt.'
    'Ainm-baistidh?'
    'Maria.'
    'Latha-breith?'
    '13 an Cèitean 1937.'
    'Clann?'
    'Aon nighean, bliadhna a dh'aois, Katharina an t-ainm a th' oirre.'
    'Dreuchd?'
    'Rùnaire.'
    'Seòladh?'
    'Deagh cheist a tha seo.'
    'Dè?'
'Tha mi duilich. Gu ruige an t-seachdain sa chaidh bha mi a' fuireach air Bernauer Straße ach chan eil dachaigh agam tuilleadh. Theich mi.'
    Bha na clèirich aig a' chomhairle a cheart cho claon an seo anns an Iar 's a bha iad anns an Ear. Bha i air a bhith a' fuireach anns a' champa seo fad seachdain a-nise. Campa airson nam

_____

claon *dim, not clever*

fògarrach bho thaobh an Ear den bhaile. Bha e lòma làn daoine. Cus dhiubh. Ann an seòmar a bhiodh freagarrach do shianar bha dusan a' fuireach. Cha robh taighean-beaga gu leòr ann agus chan fhaigheadh tu cadal leis an onghail a bh' ann fad na h-ùine. Agus cha deach norradh na sùil fad na h-oidhche. Nuair a dhùin i a sùilean nochd na dealbhan: an uinneag, an duine aice agus am baga leis a' bhalach bheag.

Bha feadhainn eile anns a' champa a bha ag iarraidh tilleadh. Dh'fhaodadh iad tilleadh, gu dearbh fhèin, dh'fhaodadh. Ach nan tilleadh, cha bhiodh fàilte bhlàth orra idir. Bha fios aice air dè thachair do nàbaidhean a thill. An toiseach ceasnachadh fad oidhcheannan agus an uair sin prìosan fad bhliadhnaichean. Agus gu dearbh fhèin chan fhaiceadh iad an teaghlach tuilleadh. Saoil càite am biodh an dithist aca? Esan anns a' phrìosan agus Alexander beag? Seòrsa de leth-dhìlleachdan a bh' ann a-nise agus bu chinnteach gun cuireadh iad gu taigh-chloinne a' phàrtaidh e. Cha bhiodh fios aige gu bràth cò a phàrantan agus gun robh piuthar aige. Sin na dhèanadh an riaghaltas le cloinn nam fògarrach. Cha robh e cho furasta 's a bha i a' smaoineachadh an toiseach. Ach mar a bha gnothaichean, chan fhaiceadh i an duine aice air neo am fear beag gu bràth tuilleadh.

Ach gus an uair sin bha i feumach air obair agus flat.

Agus thòisicheadh i air sin fhaighinn a-màireach.

Agus bha i an dòchas gun obraicheadh am plana aice.

Dhùisg i às a smuaintean nuair a thuirt an clèireach rudeigin rithe.

Thug e beagan airgid dhi agus foirm is peann airson dearbhadh gun d' fhuair i an t-airgead.

Chuir i a làmh ris an fhoirm is dh'fhalbh i, feuch am faigheadh i beagan cadail mu dheireadh thall.

---

fògarrach *refugee*
cha deach norradh na sùil *she hadn't had a wink of sleep*
dìlleachdan *orphan*

An ath mhadainn chaidh i don ionad-fhàilte agus rinn i sgrùdadh air na sanasan-obrach a bha an crochadh air a' bhalla ri taobh an deasg. Cha robh mòran dhiubh ann. Bha cus dhaoine ann am Berlin an Iar agus cha robh mòran obrach ri faighinn. Dh'fheuch a' chuid a bu mhotha de na fògarraich ri dol don Ghearmailt an Iar gus beatha ùr a thòiseachadh, fad air falbh bho na cunnartan tron deach iad. Ach bha ise airson fuireach is feitheamh, an dòchas gun obraicheadh am plana aice a dh'atharraicheadh gnothaichean a dh'aithghearr.

Chunnaic i sanas-obrach a' tabhann obair mar rùnaire aig Àrd-Choimisean a' Chaidreachais ann am Berlin. Chaidh innse dhi an sin gun d' fhuair cuideigin eile an obair ach gum faigheadh i, bu dòcha, leithid de dh'obair aig na Breatannaich a bhiodh daonnan a' lorg luchd-obrach dìcheallach. Thug iad pìos pàipeir leis an t-seòladh dhi.

Alexander Barracks.

Deagh shamhla a bha seo, smaoinich i.

Alexander – dìreach mar ainm a balaich bhig.

Nuair a dh'fhàg i an togalach às dèidh uair a thìde, bha i a' faireachdainn na b' fheàrr. Bha a h-uile rud air tachairt gu math luath. Bha iad ag iarraidh rùnaire le comasan obair na h-oifise. Bhiodh i a' tòiseachadh an ath mhadainn aig 7:30.

Goirid às dèidh sin chaidh i far a' bhus aig Bernauer Straße. Bha stad a' bhus mu choinneimh nan taighean falamh air taobh Siar na sràide. Choisich i chun an taighe far an robh i air leum às an uinneig. Far am b' àbhaist dachaigh a bhith aca fad bhliadhnaichean, cha robh ach balla àrd an taighe, sia làr a dh'àirde, le sreathean uinneagan air gach làr, uile dùinte le clachan. Agus sin mar a bha anns gach taigh

---

Àrd-Choimisean a' Chaidreachais *Allied High Commission*

sìos an t-sràid. Agus air taobh eile na sràide bha na taighean mar nach biodh dad air tachairt. Cailleach aig uinneig fhosgailte a' coimhead air an t-sràid agus a' cabadaich ri a nàbaidh. Bùth bheag fuineadair, gruagaire, clann a' cluich, beatha àbhaisteach, àiteigin ann am baile mòr air choreigin.

Dh'fhairich i fuachd ged a bha an t-sìde grianach is blàth. Fuachd a thàinig bho na ballaichean an taobh an Ear sin.

Taighean marbha, falamh, fuar ann an teis-meadhan a' bhaile.

Choimhead i suas do shreath nan uinneagan far am b' àbhaist dam flat aca a bhith.

Chunnaic i Hans, an duine aice, agus am balach beag, Alexander, fa comhair. Ach mar a b' fhaide a dh'fheuch i ris an dithist fhaicinn, b' ann a bu duilghe a bha e gun a bhith gan dìochuimhneachadh. Cha robh fiù 's dealbh dhiubh aice. Anns na bagaichean a bha Hans air a thilgeil tron uinneig às dèidh dhìse leum, cha robh annta ach aodach is rudan àbhaisteach eile. Ach sin mar a bha e. Seachad.

Cha robh ceangal sam bith air fhàgail eadar an dà thaobh den bhaile. Cha robh fiù 's na fònaichean ag obair tuilleadh ach eadar prìomh oifisean nan saighdearan eadar-nàiseanta. Bha an taobh eile an impis gach ceangal eadar muinntir a' bhaile a bhriseadh. Agus a rèir coltais b' ann glè shoirbheachail a bha iad. Ach an aon rud a bha a' dol fhathast, b' e sin na trèanaichean fo-thalamh don Ear. B' urrainn dhi tilleadh gu dearbh fhèin. An ceann còig mionaidean bhiodh i ann an stèisean Friedrich-Straße anns an Ear agus gu dearbh fhèin leigeadh iad a-staigh i. Ach cha bhiodh am plana ag obrachadh an uair sin.

Thionndaidh i is choisich i air ais gu stad a' bhus, a' faireachdainn nan taighean falamh air a cùlaibh, a' coimhead oirre leis na sùilean marbha aca.

5

Now that Màiri is in a nursing home, it's easier for Caitriona to balance her teaching job and her caring responsibilities. She wants to ask her mother about the letters, but isn't sure how to broach the subject.

Dhia! Bha i fadalach sa mhadainn. Na ruith a-mach às an rùm-ionnlaid, chuir i lèine-t ùr oirre, leig i an t-seann tè tuiteam anns an trannsa, dìreach far an robh i agus theab i tuiteam thairis air a baga air an t-slighe don chidsin. Pìos tòst, cupa tì, *Aithris na Maidne* a' toirt naidheachdan an t-saoghail mhòir don t-saoghal bheag aice, far an robh ise fadalach a-rithist. Agus sgìth – eagallach sgìth. Cha mhòr nach do chuir i an oidhche air fad seachad a' leughadh nan litrichean. Cha robh cuid dhiubh cho inntinneach, ach beag air bheag fhuair i seòrsa de smuain, seòrsa de dhealbh air mar a bha Hans air tighinn beò air cùlaibh a' chùirtein-iarainn.

Chan e dealbh slàn a bh' ann fhathast – ach chitheadh i an ath-oidhche. Ach a-nis bha ceud cabhag oirre. Chuir i an rèidio dheth, thog i am baga, chuir i a còta oirre is dh'fhosgail i doras an taighe. Mar as àbhaist bha i a' coiseachd don sgoil; cha robh i fada bhon taigh aice, mar nach robh dad sam bith fada bhon taigh aice an seo. Ach bha i frasach an-diugh. 'S e baile beag a bh' ann far an robh i a' fuireach on a dh'fhàg i taigh a pàrantan na b' fhaide suas an ceann a deas an eilein. Bha an taigh aice ri taobh na h-eaglaise, còig mionaidean air falbh bhon sgoil nan coisicheadh i, dà mhionaid sa chàr. Dh'fhosgail i an càr, thilg i am baga do chùl a' chàir agus mach à seo leatha. Seachad air an talla-choimhearsnachd gu ruige an aon chrois-rathad a bha anns a' bhaile agus far an robh na togalaichean cudromach mar taigh-òsta, bùth, an eaglais Phròstanach, oifis a' phuist agus mar sin air adhart. Bha i air a bhith glè thoilichte gun d' fhuair i àite do a màthair anns an taigh-chùraim ùr anns an t-seann ospadal.

B' e latha brònach, trom a bh' ann nuair a bha e follaiseach nach b' urrainn do a màthair fuireach tuilleadh na dachaigh fhèin. Nam faiceadh duine i, cha chuireadh iad dad a dh'umhail ach bha a beatha air fàs doirbh dhi. Rudan mar gun do dhìochuimhnich i am biadh air an stòbha, no nach do mhothaich i tuilleadh cuin a dh'fheumadh i èiridh gus dol don taigh-bheag. Ghlan i leabaidh a màthar gun a bhith a' gearan ach on a bha sin a' tachairt na bu trice, bha i air fàs crosta leatha. Agus anns an dearbh mhionaid bha i a' faireachdainn mar gum briseadh a cridhe a' faicinn a màthar na suidhe ri taobh na leapa, ciont na sùilean. An toiseach dh'fheuch i ri tadhail oirre na bu trice gus grèim fhaighinn air duilgheadasan na beatha làitheil. Ach gu math luath bha e soilleir nach robh sin ag obrachadh idir. Cha b' urrainn dhi dà bheatha a chur seachad, an tè aice fhèin agus tè a màthar-sa. Agus a bharrachd air an sin dh'fhairich i gun do dh'atharraich a màthair na beusan. B' àbhaist dhi a bhith aotrom is aighearach, agus an toiseach bha e mar nach robh i aice fhèin uaireannan, ach b' ann na bu trice a bha i gruamach is uaireannan fiù 's droch-nàdarrach a-nis.

Agus thàinig an latha nuair a dh'fhaighnich an dotair am bu chòir dha feuchainn ri àite fhaighinn dhi ann an taigh-cùraim a' bhaile. Bha e trom oirre ach dh'aontaich Caitrìona mu dheireadh thall. Nist b' e ise a' bha a' faireachdainn

---

beus *demeanour*

ciont. Nach eil e inntinneach, smaoinich i, gun leugh thu, no gun cluinn thu sin iomadach turas, a' smaoineachadh gum bi sin fad air falbh bhuat, gus am bithear ann an aon suidheachadh gu h-obann. Bha i a' coimhead às a dèidh a h-uile latha ro thoiseach na sgoile agus gu tric cuideachd san fheasgar agus às dèidh beagan seachdainean bha i toilichte gun robh a beatha fhèin aice a-rithist. Agus a rèir coltais bha e ceart gu leòr do a màthair cuideachd. Agus anns an dearbh mhionaid nuair a smaoinich i sin, bha i an dòchas nach e ach leisgeul a bha seo.

Ràinig i am prìomh rathad a bha a' ruith bho thuath gu deas tron bhaile. An-diugh cha robh ùine aice tionndadh gu clì chun an crois-rathaid agus air adhart gu a màthair. Bha i fadalach agus bhiodh an sgoil a' tòiseachadh ann an deich mionaidean. Ach cha b' e sin an aon adhbhar. Bha tòrr cheistean aice mu na bha i air leughadh anns na litrichean. Ceistean mun duine eile sin. Agus mu a leth-bhràthair. Agus dh'fhairich i fearg cuideachd. Fearg nach do dh'innis a màthair dhi dad a-riamh.

Thionndaidh i an càr gu taobh na sgoile.

6

Caitriona tries to imagine the circumstances in which Hans wrote the letters, and she wants to know what Alexander must be like, but Màiri is unwilling to answer any questions.

Liebe Marie,

Seo litir ghoirid dhut, chan eil fhios agam an sgrìobh mi a-rithist thugad, bidh mi glè thrang san àm ri teachd. Thug iad Alexander do sgoil ùir le ostail. Mar a sgrìobh iad, bidh iad an dòchas gun tèid a thogail an sin gu bhith na bhall feumail san t-siostam ùr againn. Tha mise glè thoilichte mun cho-dhùnadh seo. Cha b' urrainn dhòmhsa sin a dhèanamh. Chan fhaigheadh e na b' fheàrr, tha fhios!

An dòchas nach fhuiling thu cus ud thall.

Le gaol

Hans

Cha robh e air a bhith furasta dhi a bhith a' teagasg sa mhadainn leis an litir seo na h-inntinn fad na h-ùine. Nist bha i air ais aig an taigh, a' sgrùdadh na litreach. Cha b' fhada a thug e gus an do thòisich i an litir seo a thuigsinn. B' e Hans a bha air a sgrìobhadh ceart gu leòr, ach bha rudeigin neònach ma deidhinn. Cha robh i cinnteach an e an stoidhle no faid na litreach a bh' ann. Cho goirid, cho fuar ann an dòigh. An coimeas ris na litrichean eile smaoinicheadh tu gun robh cuideigin eile air a sgrìobhadh. No gun tug cuideigin eile air an litir a sgrìobhadh mar sin. Bha i a' faireachdainn rud beag leanabail is gòrach nuair a smaoinich i air filmichean James Bond, far am facas mar a sgrìobh cuideigin litir fo smachd luchd-ceannairc, ach dh'fhaodadh sin a bhith. Cò aig' a bha brath?

Bha Hans air a bhith fo dhragh co-dhiù. Feumaidh gun do thachair rud annasach – is dòcha rud cunnartach dha. Dh'fheuch i ri leughadh eadar na sreathan.

Cha robh ceann-latha air an litir, ged a bha aig gach litir eile sa bhogsa a sgrìobh e roimhe no às dèidh sin.

Cha robh fios aige an sgrìobhadh e a-rithist gu Màiri.

Seadh! Feumaidh gum b' e sin e! Bha e sa phrìosan, no chaidh a thoirt ann às dèidh dha an litir a sgrìobhadh.

Agus b' e sin a b' adhbhar gun do ghoid iad a mhac air falbh gu sgoil an t-siostaim chomannaich.

Agus gu dearbh fhèin bha aige ri sgrìobhadh gum biodh e toilichte leis an sin.

Chan fhaigheadh e na b' fheàrr. Beagan molaidh air an t-siostam aig ceann na litreach.

Chaidh Caitrìona don chidsin is thug i cupa tì eile leatha agus i a' tilleadh don t-seòmar-suidhe. Choimhead i air an uinneig is chunnaic i togalach mòr, liath na h-eaglaise mu choinneimh an taighe. Bhon uinneig eile chunnacas roinn-parcaidh eadar an taigh agus an talla-choimhearsnachd. Cha robh ach aon chàr ann. Bha a' ghrian a' feuchainn ri deàrrsadh tron uinneig shalaich a bha seo. Bu chòir dhi na h-uinneagan a glanadh, thuirt i rithe fhèin.

Ach cha bu chòir an-dràsta. Bha na litrichean na bu chudromaiche. Carson fon ghrèin nach robh seòladh anns na litrichean? Carson a thàinig iad uile bhon Chrois Dheirg am Berlin? Cha do sgrìobh Hans ann an àite sam bith càite an robh e a' fuireach. Bhiodh ainm sgoil Alexander air a bhith inntinneach. Ach cha robh dad de dh'fhiosrachadh ann.

An toiseach cha tàinig fiù 's am beachd na h-inntinn an rachadh i gan lorg. Ach beag air bheag dh'fhàs an ùidh aice sin fheuchainn. Cò ris a bhiodh iad coltach – Hans agus Alexander?

Cho tric bha i air smaoineachadh air ciamar a bhiodh e nam biodh bràthair aice. Ach cha robh a màthair ag iarraidh clann eile. Is dòcha gun robh eagal oirre gum faigheadh i mac eile?

Bha fios aig Caitrìona gum bu chòir dhi bruidhinn ri a màthair. 'S e rud neònach a bha ann an seargadh-inntinne. Uaireannan bhiodh i soilleir fad uairean a thìde. Agus mura biodh i ag iarraidh bruidhinn, cha robh cothrom air, bhiodh i cho rag agus a ghabhadh.

Thog Caitrìona an litir agus iuchair a' chàir bhon bhòrd, dh'fhàg i an taigh agus còig mionaidean às dèidh sin bha i air an taigh-cùraim a ruigsinn.

Ged is e togalach snog agus air ath-nuathachadh a bh' ann, bhiodh Caitrìona a' faireachdainn an-fhoiseil ann. Bha i toilichte ceart gu leòr gun robh àite freagarrach do a màthair cho faisg oirre, ach bha am bàs an làthair anns an togalach seo. Bho an seo cha robh dol às ann. Agus bha eagal oirre gun cuireadh i fhèin na bliadhnaichean mu dheireadh aice fhèin seachad ann an staid mar sin, na leth-dhùisg, a' coimhead ris a' bhalla ann am fear de na seòmraichean.

Chunnaic i a màthair agus, mar a chitheadh ise co-dhiù, bha i ann an deagh ghleus. Thionndaidh i a ceann is mhothaich i do a nighinn agus dh'aithnich i i.

Thug Caitrìona pòg dhi is ghabh i cathair a sheas ris a' bhalla agus shuidh i ri taobh a màthar. Gun a bhith ag ràdh mòran shìn i an litir thuice.

Bha a màthair a' coimhead air an litir agus an uair sin air Caitrìona.

'O seadh,' thuirt i.

'A Mhàthair, an innseadh tu dhomh, is dòcha, cò th' ann an Hans'?

Choimhead a màthair rithe agus fhreagair i, 'Chan innis,

---

seargadh-inntinne *dementia*
rag *stubborn*

chan innis mi dhut, thachair sin o chionn fhada, tha e seachad agus chan eil mi ag iarraidh bruidhinn mu dheidhinn tuilleadh.'

'Ach, an innis thu dhomh mu mo bhràthair?'

'Chan eil bràthair agad.'

'Agus cò tha ann an Alexander, ma-thà?'

Agus gun facal a ràdh agus le neart ris nach robh dùil aice idir thug a màthair sgailc dhi.

Bha Caitrìona air a h-uile sìon eile a shùileachadh ach sin agus leig i an litir tuiteam chun an làir.

Cha mhòr nach d' fhuair i grèim oirre a-rithist, ach bha a màthair na bu luaithe, ghlac i an litir agus choimead i air Caitrìona, a sùilean làn feirg rithe.

'Na creid thusa gum faigh thu air ais i,' dh'èigh i, 'agus na bi bruidhinn rium mu deidhinn gu bràth tuilleadh!'

Dh'fheuch Caitrìona ri rudeigin a ràdh ach cha b' urrainn dhi. Cha robh cuimhne aice air cuin a bha a màthair air a bualadh bho dheireadh, air neo an do rinn i sin a-riamh roimhe.

'A Mhàthair! Chan fheum thu innse dhomh tuilleadh ach... a bheil fios agad air càit a bheil e... Alexander...?'

Thionndaidh a màthair a ceann is choimhead i air an uinneig gun facal a ràdh tuilleadh. Chaidh càr seachad air an togalach. Dh'fhalbh Caitrìona gun a bhith a' fàgail soraidh aig a màthair. Shil i na deòir air an t-slighe chun an àite-pharcaidh, dh'fhosgail i an càr, choimhead i air ais do dh'uinneig an t-seòmair far an robh a màthair agus mhionnaich i rithe fhèin gun lorgadh i a bràthair, bitheadh e beò no marbh.

A-staigh bha a màthair fhathast a' coimhead air an uinneig. Cha b' urrainnear faicinn an robh i a' coimhead air a nighinn, no an robh i a' tilleadh don t-saoghal aice fhèin.

---

sgailc *slap*

Caitrìona writes to every Alexander Schmidt she can find. Perhaps it's a crazy thing to do, but once the letters are in the post all she can do is wait.

Bha an coimpiutair aice a cheart cho rag ri a màthair ach aig a' cheann thall, fhuair i ceangal ris an eadar-lìon. Ged a bha i an dùil nach lorgadh i dad sa bhad, bha 16,700 toradh fo *Alexander Schmidt, Berlin* rud beag cus. Dh'fheuch i leabhar-fòn Bherlin air-loidhne agus fhuair i 17 toraidhean às aonais nan toraidhean a dh'innis rud mar *A. Schmidt* a-mhàin.

B' fheàrr leatha fòn a chur thuca uile sa bhad. Thog i am fòn ach stad i.

'S e gòraiche a bh' ann. Ciamar a bu chòir dhi tòiseachadh? 'Gabhaibh mo leisgeul, is mise ur leth-phiuthar, tha mi fhìn agus ur màthair-sa a' fuireach ann an eilean an Alba?!'

Cha chreideadh duine sam bith e, agus cha chreideadh i fhèin sin na bu mhotha nan innseadh cuideigin leithid de rud dhi air an fhòn.

Post-dealain?

Cha robh na seòlaidhean aice.

Litir?

Gu math seann-fhasanta.

Ach aig a' cheann thall b' ann le litrichean a bha an gnothach seo air tòiseachadh.

Seadh, litrichean.

B' e sin an dòigh a b' fheàrr.

Dh'fheuchadh i sin.

~~Alexander chòir,~~
~~Lieber Alexander,~~

Bha sin fada ro dhìreach is ro phearsanta. Thòisich i a-rithist, agus an turas seo na b' oifigeile.

Sehr geehrter Herr Schmidt,
Is dòcha gun cuir an litir seo iongnadh oirbh, tha mi an dòchas gur sibhse an Alexander Schmidt a tha mi a' lorg. Is mise Càitrìona NicDhòmhnaill agus tha mi a' fuireach ann an Alba. B' e Marie Schmidt an t-ainm a bha air mo mhàthair nuair a phòs i m' athair ann am Berlin ann an 1962. Bho litrichean a fhuair mi bho mo mhàthair, tha amharas agam gu bheil leth-bhràthair agam an àiteigin ann am Berlin, no faisg air Berlin. Chan eil fhios agam a bheil e fhathast a' fuireach ann, ach b' e – no 's e – Hans Schmidt an t-ainm a tha air athair. An aon rud air a bheil fios agam, is e gun do theich mo mhàthair às an Ear. Phòs i m' athair, Iain MacDhòmhnaill, saighdear san arm Bhreatannach. Mas sibhse an Alexander Schmidt a tha mi a' lorg, bhithinn toilichte nan sgrìobhadh sibh thugam chun an t-seòlaidh a leanas.

Ainm, seòladh, àireamh fòn, seòladh puist-dealain.

Le deagh dhùrachd
Caitrìona NicDhòmhnaill

Leugh i an litir a-rithist agus a-rithist, cheartaich i pìos beag dhi an siud 's an seo, sgrìobh i às ùr i dà thuras ach mu dheireadh thall thàinig 17 dhith às a' chlò-bhualadair, chuir Caitrìona a h-ainm riutha is chuir i anns na cèisean iad gu 17 seòlaidhean ann am Berlin sa Ghearmailt.

Nise – stampaichean. Bha i brèagha a-muigh agus mar sin ghabh i cuairt do dh'oifis a' phuist.

'Seachd stampaichean deug airson na Gearmailt. Seadh, ceart gu leòr. Seo dhut m' eudail.'

Shìn Mòrag na stampaichean dhi agus bha iad a' bruidhinn mun t-sìde agus a' gabhail naidheachdan a' bhaile fhad 's a chuir Caitrìona na stampaichean air na litrichean.

'Seo agad 15, 16, 17, ... ceart gu leòr... uile gu Alexander Schmidt – saoil dè cho annasach 's a tha seo?' thuirt Mòrag gun a bhith ag ràdh na bha i a' smaoineachadh ann an da-rìreadh. Choimhead i air Caitrìona, a thionndaidh ris an doras gus an oifis fhàgail. Bha e follaiseach nach robh i airson bruidhinn mu dheidhinn.

'Ma tha Caitrìona airson pòsadh, 's aithne dhomh Alasdair no dhà eile a bhiodh gasta, deònach is freagarrach agus fada nas fhaisge air làimh,' smaoinich i le snodha-gàire agus chùm i oirre le na litrichean ullachadh. Bha i earbsach, cha bhiodh i ag innse do neach sam bith ach rinn i fiamh-ghàire rithe fhèin.

Air an t-slighe air ais dhachaigh cha robh Caitrìona cinnteach an e deagh bheachd a bh' ann na litrichean a chur tro oifis a' phuist seach na stampaichean a cheannachd agus na litrichean a chur a-steach do bhogsa-litreach an àiteigin shìos ann an ceann a tuath an eilein. Ged a bha i eòlach air Mòrag agus i na caraid dhi, bha i air a maslachadh aig an dearbh mhionaid nuair a thug i na litrichean dhi. Ach cha b' e sin a bh' ann ach eagal mun ghnothach a bha i an impis tòiseachadh a-nise. Bha na litrichean air an t-slighe agus le beagan dòchais gheibheadh i freagairtean.

Some responses to the letters advise her to contact the Red Cross. Others are less helpful, and Caitriona's mother is barely communicating with her. It was obviously a bad idea to try and contact Alexander.

An toiseach cha do thachair dad. Agus cha mhòr nach do dhìochuimhnich Caitrìona na litrichean. Bha tòrr obrach aice ri dhèanamh anns an sgoil, bha i fhathast an sàs le bhith a' falamhadh taigh a màthar agus bha a màthair fhèin bochd. Chanadh iad nach tigeadh an aois leatha fhèin, ach a bharrachd air an sin dh'fhàs an seargadh-inntinne na bu mhiosa is na bu mhiosa a rèir coltais. Chuir e iongnadh oirre cho luath agus a theich a màthair gu saoghal eile, nach b' aithne dhi a nighean tuilleadh. Uaireannan bha coltas soilleir is beòthail oirre agus anns an dearbh mhionaid dh'fhàsadh a sùilean falamh, cha chanadh i guth tuilleadh, no thòisicheadh i air bruidhinn mu rudan a bha fada seachad. Ach cha do bhruidhinn i a-riamh mu na thachair ann am Berlin ann an 1961.

Sin an dòchas a bha aig Caitrìona, gum biodh a màthair a' bruidhinn mu dheidhinn nam biodh i glacte anns an t-saoghal ghruamach aice a-rithist, oir bha e follaiseach nach robh i idir deònach sin a dhèanamh nuair a bhiodh i an làthair anns an fhìorachd agus i soilleir agus na dùisg. B' àbhaist do Chaitrìona tadhail air a màthair sa mhadainn

---

florachd *reality*

agus às dèidh na sgoile, agus bhiodh iad a' cabadaich mu ghnothaichean làitheil, naidheachdan a' bhaile is prògraman telebhisein. Ach fad ceala-deug a-nise, cha robh a màthair air bruidhinn ach glè ainneamh agus nam bruidhneadh, cha robh e fada agus gun chiall sam bith.

Uaireannan cha bhiodh Caitrìona cinnteach nach b' e cleas a bha seo. Dìreach cleas feuch nach fheumadh i bruidhinn mu rudan air nach robh i ag iarraidh fiosrachadh a thoirt seachad.

Agus aon fheasgar fhuair i dà litir a thàinig às a' Ghearmailt anns a' bhogsa-litreach aice. Leig i le a baga tuiteam anns an trannsa, dh'fhosgail i na litrichean air an t-slighe don t-seòmar-suidhe agus thòisich i air an leughadh, na seasamh air beulaibh an àite-teine.

Sehr geehrte Caitrìona NicDhòmhnall,
Mòran taing airson ur litreach. Gu mì-fhortanach cha mhise an duine a tha sibh a' lorg. Tha mi cinnteach nach e sin an fhreagairt a bha sibh an dùil fhaighinn agus tha mi duilich nach urrainn dhomh ur cuideachadh. Mholainn-sa gum feuch sibh a' Chrois Dhearg an seo ann am Berlin. Tha faidhlichean aca mu na fògarraich a theich às an Ear. Tha mi a' guidhe gach soirbheachas dhuibh gun lorg sibh ur bràthair a dh'aithghearr.
Is mise le meas
Alexander Schmidt, Berlin

Agus thuirt an tè eile cha mhòr an aon rud.

... mar sin tha mi glè dhuilich agus tha mi an dòchas gun lorg sibh ur bràthair a dh'aithghearr.
Le spèis
Alexander Schmidt

Thàinig dà litir dheug, uile den aon seòrsa seo, anns

na seachdainean às dèidh sin. Air an aon taobh bha i
toilichte gun d' fhuair i freagairtean idir, uaireannan mhol
iad seòlaidhean is buidhnean aig am biodh barrachd
fiosrachaidh, is dòcha, ach gach uair a thàinig litir eile
dh'fhàs am briseadh-dùil am faigheadh i dad a-mach idir.

Air oidhcheannan mar sin bhiodh i na suidhe air beulaibh a
coimpiutair agus a' coimhead air làraich-lìn mu bhalla Bherlin,
a' leughadh nan sgeulachdan, mar a thachair ri daoine a theich
às an Ear, no a chuir bliadhnaichean seachad anns a' phrìosan,
air sàilleibh 's gun do dh'fheuch iad ris an Ear fhàgail agus nach
do shoirbhich. Agus an uair sin dh'fheuch i ri beachd fhaighinn
air mar a thachair dha h-athair agus Alexander. Mheasgaich na
beachdan seo le cuimhneachain mu nuair a bha i fhèin beag
agus gun fhios nach robh an duine aig a màthair na h-athair dhi
idir. Ach b' fheudar dhi aideachadh nach do rinn e dona idir.
Bha i cinnteach nach robh e dìreach air a dhìcheall a dhèanamh
a-mach à dleastanas ach gun robh e air a gràdhachadh
cuideachd. Deich bliadhna on a chaochail e a-nise. Is cinnteach
gum biodh esan air a bhith deònach an sgeul air fad innse
dhaibh. Duine còir a bh' ann. Leis na beachdan seo chuir i an
coimpiutair agus an solas anns an t-seòmar dheth, chaidh i don
rùm-ionnlaid agus beagan às dèidh sin don leabaidh.

An ath mhadainn thàinig litir bho Alexander Schmidt eile:

*... nach b' urrainn dhomh ur cuideachadh ach bhithinn
glè dheònach ur coinneachadh. 'S fhada bho bha mi a'
miannachadh imrich a dh'Alba agus is dòcha gur sibhse am
boireannach a bhiodh deònach... dealbh an cois na litreach ...
le deagh dhùrachdan ... Alexander*

Dhia nan gràsan! Bha an saoghal làn amadan, chan ann
a-mhàin an seo ach cuideachd thall sa Ghearmailt. Thilg i
an litir don teine.

9

Finally, a letter with some useful information. It seems that Hans Schmidt and his son Alexander are on a database of people who were bought from the East by the West German government. It's the first solid lead Caitriona's had.

Seachd litrichean deug air an cur don Ghearmailt.

Dusan air ais gu ruige seo.

Gun toradh feumail idir.

An iomairt air fad gun luach sam bith.

'S e fìor bhriseadh-dùil a bh' ann. Bha i air a bhith an dòchas gum faigheadh i beagan fiosrachaidh co-dhiù, agus le leithid de dh'fhaireachdainn dh'fhosgail i am bogsa-litreach sa mhadainn ud.

Choimhead i tro na litrichean.

Cha robh mòran ann.

Sanasan.

Leabhar ris an robh i a' feitheamh fad mhìosan.

Cairt-phuist bho charaid às an Eadailt.

Litir às a' Ghearmailt.

Le a làmhan air chrith, dh'fhosgail i an litir agus thòisich i air a leughadh.

Sehr geehrte Frau NicDhòmhnaill,

Aig toiseach-tòiseachaidh feumaidh mi ràdh nach mise an Alexander Schmidt a tha sibh a' lorg. 'S e fear-lagha a th' annam ann am Berlin agus tha caraid agam a tha ag obair ann an coimisean a tha an sàs le cùisean-lagha dhaoine a chaidh

*a chur don phrìosan le riaghaltas an DDR (sin a' Ghearmailt
an Ear) air sàilleibh agus gun do dh'fheuch iad ris an dùthaich
fhàgail gu mì-laghail. Gu goirid, tha sin a' ciallachadh gun do
dh'fheuch iad teicheadh. Nan rachadh an glacadh leis a' phoileis
no le saighdearan, chaidh iad don phrìosan mu eadar trì agus
còig bliadhna. Aig an àm seo cha robh ach aon chothrom ann
am prìosan fhàgail agus b' e sin, gun ceannaicheadh riaghaltas
Poblachd na Gearmailt an Iar na prìosanaich. Nuair a chaidh
an t-suim-airgid a phàigheadh rachadh am prìosanach a leigeil
ma sgaoil sa bhad agus rachadh a chur don Iar. Agus tha stòr-
dàta againn anns a' Ghearmailt le fiosrachadh mu gach neach
is tè aig an robh an cothrom an DDR fhàgail. Nuair a leugh mi
bhur litir dh'fhàs m' ùidh anns a' ghnothach seo is smaoinich
mi air dè ghabhadh dèanamh mu dheidhinn. Dh'fhaighnich
mi den charaid agam agus chuir e an t-ainm Hans Schmidt,
athair Alexander, a-steach don stòr-dàta.*

*Nise, tha mi toilichte innse dhuibh nach d' fhuair sinn ach
dithist den ainm sin. Agus tha faidhle anns an stòr-dàta mar a
thachair don dithist ud.*

*Aon dhiubh, Fear Hans Schmidt à Eilean Rügen anns
a' Mhuir Bhaltach: dh'fheuch e ri snàmh tron mhuir eadar
Rügen agus eilean san Danmharg ach chaidh a ghlacadh leis
a' nèibhidh aca is chuir e seachad ochd bliadhna sa phrìosan
gus an deach e a Hamburg san Iar.*

*Agus fear à Berlin a dh'fheuch ri teicheadh tro aon de na
taighean air Bernauer Straße, taighean a bha dìreach air
a' chrìch don Iar. Chaidh aig a bhean an taigh fhàgail air
ròpa còmhla ris an nighinn ann an rugsag air a druim, ach
chaidh Hans agus am mac beag aca Alexander a ghlacadh
leis na poileis. Tha mo charaid agus mi fhìn den bheachd gur
esan bhur n-athair agus mar sin an Hans Schmidt a tha sibhse
a' lorg. A rèir an stòr-dàta cheannaich an riaghaltas ann am
Bonn e ann an 1975 agus dh'fhàg e Berlin is chaidh e a Köln
(Cologne) an uair sin. Dh'fhàs a mhac suas anns an DDR, on*

a chuir an riaghaltas e do thaigh-cùraim nuair a bha athair sa phrìosan.

Chan eil fhios agam dè thachair ri bhur n-athair an uair sin, cha robh cothrom agam sin fhaighinn a-mach.

Mholainn gum feuchaibh sibh comhairle baile Köln aig a' bheil clàr mu gach neach a tha a' fuireach sa bhaile, cuin a thàinig e, cuin a dh'fhalbh e a-rithist air neo cuin a chaochail e. Gheibh sibhse, mar an nighean aige, am fiosrachadh a tha sibh ag iarraidh.

Nise, tha mi glè mhothachail gur e rud glè phearsanta a tha seo agus chan eil mi eòlach oirbh idir, ach dhùisg an litir agaibh an neach-rannsachaidh annam. Tha mi an dòchas gun gabh sin mo leisgeul agus gu bheil na fhuair sinn a-mach nur cuideachadh gus an lorg sibh bhur teaghlach mu dheireadh thall.

Tha mi a' guidhe gach soirbheas dhuibh.

Mit den besten Wünschen
Dr. Alexander Schmidt, Berlin

FS: Thigibh a chèilidh orm uair sam bith ma bhios sibh ann am Berlin latha brèagha air choreigin. Bhiodh mi fhìn is mo bhean toilichte ur coinneachadh.

Bhuail na leugh i a-staigh oirre mar bhoma. Theab i a dhol ann an laigse. Rinn i suidhe air an làr anns an trannsa, an litir na làimh agus choimead i oirre a-rithist. 'S e naidheachd à saoghal eile a bha seo. Naidheachd ris an robh i a' feitheamh cho fada.

---

theab i a dhol ann an laigse   *she almost fainted*

10

Now that Caitriona knows her brother is in Cologne, how should she go about contacting him? It's not something she can discuss with her mother, who becomes very distressed when she's moved to a new room in the nursing home.

Agus cha b' fhada gus an tàinig freagairt à Köln. Bha i air sgrìobhadh gun dàil gu comhairle a' bhaile le fiosrachadh agus fianais air cò b' ise agus fhuair i am fiosrachadh a bha i ag iarraidh. Shuidh i anns a' chàr agus leugh i an litir às a' Ghearmailt a-rithist agus a-rithist:

… agus mar sin is urrainn dhuinn dearbhadh gun robh bhur n-athair, Hans Schmidt, a' fuireach ann an Köln gu ruige a' bhliadhna 2002. Chaochail e ann an ospadal an Oilthigh an seo agus chaidh a thiodhlacadh ann an cladh Mhelaten, àireamh an uaigh… Tha a mhac Alexander, bhur bràthair, a' fuireach ann an Köln cuideachd agus gheibh sibh an seòladh aige aig bonn na litreach seo.

Tha sinn an dòchas gu bheil sin nur cuideachadh… agus mar sin air adhart…

B' fheàrr leatha innse do a màthair mar a thachair agus bha i an impis ticead-itealain a chur air dòigh nuair a stad i. Dè bh' ann a chuir bacadh oirre? Am bu chòir dhi bruidhinn ri a màthair an toiseach? Saoil dè bhiodh Alexander a' smaoineachadh nuair a bhiodh boireannach a' nochdadh aig doras an taighe agus i ag ràdh: 'Halò, is mise do phiuthar,' às dèidh nam bliadhnaichean uile?

Agus cò aig' a bha brath an robh adhbhar ann nach do sgrìobh a màthair a-riamh air ais thuca? Carson a bhris ise gach ceangal eadar i fhèin agus a mac agus an duine aice agus na chois ceangal eadar i fhèin is a h-athair is a bràthair?

Bhiodh e na b' fheàrr bruidhinn ri a màthair an toiseach, feuch am faigheadh i rudeigin a-mach. Bha plèanaichean eadar Dùn Èideann is Köln gach latha, ach b' fheudar dhi feitheamh rud beag na b' fhaide gus an coinnicheadh i ri Alexander.

Agus a dh'innse na fìrinn b' fheudar dhi aideachadh gun robh eagal oirre ron mhionaid a chitheadh i a bràthair.

Choimhead i air an uinneig. Bha e tioram a-muigh agus mar sin chuir i geansaidh is anarag oirre is choisich i don taigh-chùraim shìos sa bhaile.

Air an t-slighe tron ghàrradh bheag eadar an rathad agus an taigh-cùraim fhèin, chunnaic i banaltram a' tighinn ga h-ionnsaigh.

'Nach mise tha toilichte gun tàinig sibh!'

'Dè thachair?' fhreagair Caitrìona, eagal na guth.

'Och chan eil fhios agam dè th' ann. Bha aig ur màthair an seòmar aice fhàgail airson dà latha. Tha na h-uinneagan sna seòmraichean uile a' faighinn glainneachadh dùbailte agus nuair a chunnaic i gun robh daoine ag obair aig an uinneig san t-seòmar aice thòisich i ri èigheachd agus cha do stad i bhon uair sin. Dh'èigh i nach fhaodamaid an uinneag a dhùnadh, nach robh i ag iarraidh leum agus gun tigeadh na poilis.'

'Cà' bheil mo mhàthair an-dràsta?'

'Carson?'

'Chan eil sin gu diofar. Innis dhomh, cà' bheil i a-nist?'

'Shuas an staidhre, seòmar 203, air taobh clì an trannsa.'

Gun dad eile a ràdh, ruith Caitrìona suas na staidhrichean,

dh'fhosgail i doras seòmar a màthar agus chunnaic i gun robh i ann an staid uabhasach. Bha i nearbhasach, troimh-a-chèile agus gruamach aig an aon àm. Chunnaic i Caitrìona agus le guth eu-dòchasach bha i a' cagair:

'Chan fhaod iad sin a dhèanamh... chan fhaod...'

'Dè, a Mhàthair?'

'Chan fhaod iad an uinneag a dhùnadh, feumaidh iadsan leum cuideachd...'

'Cò iadsan?'

'Iadsan, feumaidh iadsan leum cuideachd, seall an ròpa...'

'A bheil thu a' ciallachadh Alexander agus Hans?'

'Na poilis agus na saighdearan... cà' bheil Caitrìona, cà' bheil an rugsag?'

'Tha mise an seo còmhla riut. Gabh air do shocair, tha mi còmhla riut.'

Dh'fhàs a màthair na bu socaire.

Ghabh i làmh a màthar agus sheall i oirre, ag ràdh, ''Eil thu nas fheàrr a-nise?'

'Thug mi rud dhi gus a dèanamh nas socaire,' thuirt a' bhanaltram.

Cha robh Caitrìona air mothachadh gun robh a' bhanaltram air tighinn a-staigh.

'B' fheàrr leam gun sibhse a bhith ga dhèanamh,' fhreagair Caitrìona le guth mì-fhoighidneach. Sheall i a-rithist air a màthair ach bha ise sàmhach le bròn thar smuain na sùilean, thionndaidh i a ceann don taobh eile far an robh an uinneag is choimhead i a-mach oirre.

Choisich i air ais dhachaigh agus mhothaich i gun do dh'fhàs i feargach. Sa chiad dol-a-mach mun bhanaltram amaideach ud, nach do mhothaich idir gun robh a màthair an impis bruidhinn mu na bha a' cur dragh oirre, nì a

---

bròn thar smuain *unimaginable sadness*

bheireadh am fiosrachadh do Chaitrìona ris an robh
i a' feitheamh cho fada a-nise. B' ann ainneimh a bha a
màthair na dùisg agus coilionta gu leòr airson bruidhinn
rithe mar ri inbheach àbhaisteach.

Ach bha i feargach mu a deidhinn fhèin cuideachd. Bha
i gus gòmadaich! A màthair cho bochd, na h-athraichean
marbh, a bràthair ann an dùthaich eile... bha e mar gun
tionndaidheadh a saoghal bun-os-cionn. Bha siud uile thar
a comasan. Cha chuala i caraidean ag ràdh halò rithe nuair
a choisich i seachad air an talla-choimhearsnachd, cha do
mhothaich i den t-sagart anns a' chàr a' dràibheadh seachad
oirre, dh'fhosgail i an geata, chaidh i a-steach don taigh,
dhùin i an doras, chuir i an telebhisean air agus ghabh i
deoch. Agus bha i a' faireachdainn aonranach.

An ath mhadainn dhùisg i le fuaim an telebhisein. Sheas
i suas agus bhuail e oirre gun robh i air an oidhche a chur
seachad air an t-sòfa air beulaibh an telebhisein. Chunnaic
i am botal. Bha a ceann goirt. Thog i am fòn a bha air
a' bhòrd ri taobh a' ghlainne gus innse don sgoil nach biodh
i a-staigh an-diugh, gun robh i anns an leabaidh le flù agus
chaidh i a dhèanamh cupa tì anns a' chidsin.

Nuair a sheall i a-mach air an uinneig chunnaic i an
dùnaidh air fad. Far an robh an lios a-raoir, cha robh dad
air fhàgail. Bha na flùraichean air falbh, agus a' ghlasraich
cuideachd. Nan àite bha caoraich agus bha feadhainn eile
gan leantainn tron gheata a bha fhathast fosgailte. Dhùin
i an sgàil-uinneig gus nach fhaiceadh i sin tuilleadh agus
chaidh i air ais don leabaidh.

Bha e aon uair deug sa mhadainn.

Aig leth-uair an dèidh aon uair deug dh'èirich i is chaidh

---

bha i gus gòmadaich *it made her feel physically sick*
dùnaidh *disaster*
sgàil-uinneig *window blind*

i don taigh-bheag. Air an t-slighe air ais don leabaidh chunnaic i an litir air a' bhòrd bheag anns an trannsa eadar doras a' chidsin agus an doras don t-seòmar-suidhe.

Saoil an cuireadh i litir gu Alexander a-nise? Chaidh i don choimpiutair ach stad i, ghabh i pàipear is peann à drathair an deasg aice agus thòisich i air sgrìobhadh.

~~Alexander Schmidt chòir,~~

Bha coltas neònach air sin ach cha robh fios aice an sgrìobhadh i gu foirmeil, am biodh e na b' fheàrr a bhith neo-fhoirmeil gun a bhith ro phearsanta; cha robh e furasta idir.

~~Alexander chòir,~~
~~Is mise Caitrìona NicDhòmhnaill à Alba agus is mise do phiuthar.~~

A Mhoire Mhàthair! Bha sin dìreach uabhasach. Cha bu chòir dhi briseadh a-staigh do bheatha duine eile dìreach mar sin, gun fhiosta dha.

Thòisich i a-rithist.

~~Chan ann ach o chionn ghoirid a fhuair mi a-mach gu bheil bràthair agam agus feumaidh gur sibhse am bràthair sin.~~

Stad i a-rithist. Cus dràma. Bha coltas siabann-telebhisein air an dòigh-sgrìobhaidh aice.

Pìos pàipeir eile.

Agus an uair sin cha do sgrìobh i ach dìreach mar a thachair dhi, mar a lorg i na litrichean anns a' bhogsa, gun robh a màthair anns an taigh-chùraim is gun robh seargadh-inntinne oirre. Nach robh i deònach no comasach air bruidhinn is innse dhi na thachair ann am Berlin ann an

1961. Mar a fhuair i a-mach mu dheidhinn le cuideachadh Alexander Schmidt eile. Gun do phòs a màthair a-rithist agus gun do chuir e fìor iongnadh oirre gun robh bràthair agus dithis athraichean aice.

Ach sgrìobh i cuideachd mun eagal agus mun teagamh a bha oirre fad an t-siubhail agus gu h-àraid an-dràsta fhèin on a bha i a' sgrìobhadh na litreach.

... mar sin tha mi an dòchas nach fhada gus an cluinn mi bhuaibh/bhuat.
Le gach beannachd
Caitrìona

A-steach do chèis, stampa oirre agus don bhogsa-litreach leatha.

Agus bhiodh i a' feitheamh aon turas eile, feuch dè seòrsa freagairt a gheibheadh i agus ciamar a dh'fhaodadh gnothaichean gluasad air adhart. Ach bha i a' faireachdainn na b' fheàrr a-nise. Thill i bhon bhogsa-litreach agus le osna leig i leatha fhèin tuiteam air an t-sòfa anns an t-seòmar-suidhe. Bha an teine a' sgaoileadh blàths cofhurtail mu thimcheall agus sheall i air an uinneig, a' coimhead air dol fodha na grèine anns an Iar.

11

Alexander remembers his reunion with his father and his journey to his new home in the West. Today is just another ordinary day in Cologne, until the air-mail letter arrives.

B' e siud aon de na làithean gruamach nach do chòrd ri Alexander idir. Dorch sa mhadainn, an t-uisge ann, agus solasan na sràide a' deàrrsadh leis an uisge. Tramaichean a' dol seachad air an taigh, an t-uabhas de chàraichean air a' cheàrnaig far an tàinig ceithir sràidean mòra ri chèile, uile le trafaig uabhasach fad an latha. Cha robh e a-riamh a' tuigsinn carson a chaidh am baile ath-thogail ann an stoidhle cho grànnda an dèidh a' chogaidh. An coimeas ri Berlin bha Köln dìreach eagalach grànnda. Ann am meadhan a' bhaile co-dhiù. Gu fortanach bha an àrd-eaglais cho seasmhach is brèagha agus a bha i fad linntean, agus bha i a' cur gu mòr ri cliù a' bhaile mar àite a dh'fheumadh gach neach-turais fhaicinn. Ri taobh na h-eaglaise chunnacas prìomh-stèisean nan trèanaichean.

Bha cuimhne aige glè mhath air an latha a thàinig e a-steach don stèisean às an Ear. An toiseach chaidh an trèana thairis air drochaid mhòir gu h-àrd os cionn abhainn mhòr an Rhein. A-nist bha e cinnteach gun robh e air mòr-bhaile an Iar a ruigsinn, mòr-bhaile Köln. Baile naomh Köln, còrr is dà mhìle bliadhna a dh'aois. Baile beothail, garbh, rag, uaireannan grànnda, ach cuideachd fosgailte, càirdeil, aotrom is aighearach agus gu dearbh fhèin, làn cultair is làn chultaran den a h-uile seòrsa.

Nan toireadh tu sùil air clàr-ama nan trèanaichean chitheadh tu sa bhad gur e fìor àite eadar-nàiseanta a bh' ann. Trèanaichean gu Paras, Zürich, Lunnainn is Amsterdam, don Ròimh agus don Bhruiseil. Ann an Köln bha thu ann an teis-meadhan na Roinn-Eòrpa. Agus eadar an stèisean agus an àrd-eaglais cha chluinneadh tu ach stàirneach maireannach nan trèanaichean gun sgur. Fon drochaid, uisge glas is domhainn na h-aibhne leithne, agus e a' giùlan bhàtaichean-bathair sìos don Òlaind is don mhuir agus suas don Fhraing is don Eilbhis agus nas fhaide air falbh. Bhon an seo dh'fhaodadh tu siubhal do gach ceàrnaidh den t-saoghal.

Sin a bu choireach gun roghnaich e an t-àite seo. Bha e a' sireadh àite-còmhnaidh far am biodh teicheadh furasta ge 'r bith cuin a thogradh e falbh.

Agus ged a bha a' cheàrnag far an robh e a' fuireach cho grànnda, bha rudan math mu dheidhinn cuideachd. Tòrr thaighean-seinnse de gach seòrsa mun cuairt agus a h-uile àite brèagha is snog furasta ri ruigsinn. Agus cha robh e a' toirt fada chun na h-obrach aige. Cha smaoinicheadh e gu bràth gum faigheadh e an obair sin nuair a chunnaic e an sanas.

Liosadair ann an gàrradh luibheach baile Köln – aon de na gàrraidhean as motha den t-seòrsa seo san dùthaich. Bha e an urra ri na lusan a bha a' fàs ann, lùsan a thàinig bho air feadh an t-saoghail agus bha cuid dhiubh uabhasach prìseil.

Bha cuimhne aige nuair a bha e a' cur a-steach airson na h-obrach seo agus gun tuirt rùnaire ceannard a' ghàrraidh nuair a chunnaic e am foirm-iarrtais aige, 'Ò, seadh, 's ann às an Ear a thàinig sibh... uill... uill... cha chreid mise gu bheil na comasan agaibh freagarrach dhuinn.'

Ach abair mìorbhail nuair a sheirm am fòn dà latha

---

stàirneach *rumbling*
luibheach *botanical*

an dèidh sin, ceannard a' ghàrraidh aig a' cheann eile
a' faighneachd dheth am biodh e ceart, gun robh e air
obair ann am pàirce Sanssouci ann am Potsdam ann an
da-rìreadh – gàrradh mòr is cliùiteach Rìgh Frederic II den
Phrùis.

Fhreagair Alexander gun robh, chuala e bhon cheannard
rudeigin mu mhearachd a rinn an rùnaire agus gum biodh
e fhèin toilichte nam biodh neach-obrach cho comasach
aca ann an Köln san àm ri teachd agus an tòisicheadh
Alexander cho luath agus a ghabhadh.

Bhon uair sin bha e an urra ris na lusan a bu phrìseile
a bha a' fàs anns a' ghàrradh – esan mar 'ghàirnealair an
rìgh'. Sin am far-ainm a chaidh a thoirt air.

Leis an fhìrinn innse cha robh an tuarastal cho rìoghail
ach chòrd an obair ris. Bha e a-muigh fad an latha agus gu
ìre bha e ag obair air a cheann fhèin. Cha robh adhbhar
gearain ann idir on a bha e air an Ear fhàgail mu dheireadh
thall.

Cha robh sin air a bhith furasta. Cha deach aige idir air
athair a leantainn nuair a chaidh a shaoradh le riaghaltas
na Gearmailt an Iar, ged a sgrìobh e a-rithist agus a-rithist
chun an riaghaltais aigesan am Berlin an Ear. Cha robh
cothrom air. Cha robh iad deònach duine òg comasach a
leigeil don Iar. Ach thàinig an latha seo anns an t-Samhain
nuair a thuit am balla mallaichte ud. Cha b' e ruith ach
leum a bh' ann nuair a chuala e an naidheachd. Mu
cheithir uairean sa mhadainn chaidh e tron gheata a bha
anns a' bhalla, an sluagh-phoilis a' coimhead air gun facal a
ràdh, esan diùid is làn eagail, gun a bhith a' creidsinn gum
biodh e a' teicheadh don Iar a-nist gun dragh sam bith.
Bha daoine a' dannsa timcheall air agus a' seinn, choisich
e seachad orra gun a bhith a' coimhead orra, dìreach don

---

an sluagh-phoilis *Volkspolizei, the communist people's police*

Iar. Nuair a mhothaich e fuaim nan daoine air a chùlaibh
a' fàs na bu sàmhaiche, thàinig e thuige fhèin a-rithist. Bha
e mar gum biodh e air a bhith ann an droch aisling a bha
seachad a-nis. Chaidh e gu taigh-seinnse a bha faisg air is
dh'fhaighnich e am faodadh e am fòn a chleachdadh. Sheall
fear a' bhàir air is thuirt e, 'Faodaidh gu dearbh gun dragh
sam bith, tha e saor 's an asgaidh a-nochd.'

Thog e am fòn, rinn e cinnteach gun robh an àireamh
cheart aige agus bha e a' feitheamh.

Chuala e cliog agus thuirt cuideigin, 'Halò?'

Cha tuirt Alexander guth.

Chuala e a-rithist, 'Halò... cò tha bruidhinn?'

Fhreagair e, ''S e mise a th' ann, Alexander... '

Agus thuirt guth critheanaich athar, 'Alexander... cà'
bheil thu?'

'Ann am Berlin... anns an Iar.'

Cha chuala e ach osna agus guth athar a-rithist agus e ag
ràdh, 'Taing do Dhia, mu dheireadh thall!'

Ghabh e an trèana gu Köln agus ràinig e am baile tràth sa
mhadainn an ath latha. Nuair a ràinig an trèana an drochaid
cha robh fios aig Alexander càit am bu chòir dha coimhead
an toiseach, air an abhainn mhòir, air cuairt-sealladh
a' bhaile, air an drochaid no air an àrd-eaglais le a dà thùr
dhrùidhteach. Bha e fada cus dha ach leis na seallaidhean
uile cho annasach is ùr mhothaich e gu h-obann gum b' e sin
an dearbh mhionaid anns am biodh beatha ùr air thoiseach
air. Ge 'r bith dè thachradh san àm ri teachd, bhiodh e na
b' fheàrr na na bha air tachairt roimhe seo, fad air falbh
bhuaithe, àiteigin anns an Ear.

Dhùisg e às a bhruadair, mhothaich e gun robh e
uabhasach fadalach, dhùin e an uinneag anns a' chidsin,

---

drùidhteach *impressive, imposing*

dh'fhàg e am flat aige agus air an t-slighe gu doras an taighe dh'fhosgail e am bogsa-litreach gus am pàipear-naidheachd fhaighinn a leughadh e san tram air an t-slighe don obair. An lùib a' phàipeir is rudan eile mhothaich e litir annasach.

Leugh e '*air-mail*' air a' chèis is chunnaic e an stampa le banrìgh Shasainn oirre.

Dh'fhosgail e i, thòisich e air an litir a leughadh air leac an dorais, nuair a stad e.

Dhùin an doras às a dhèidh.

Leugh e.

Bha e a-muigh air an t-sràid san droch shìde le uisge trom.

Bha e a' leughadh.

Cha do mhothaich e an tram air nach do rug e.

Bha e a' leughadh.

Cha do mhothaich e a nàbaidh a' cantainn halò ris.

Bha e ga leughadh agus cha do chreid e na chunnaic e.

Boireannach ag innse dha gum b' ise a phiuthar.

Agus gun robh i a' fuireach ann an eilean an Alba.

A phiuthar.

Às dèidh ùine cho fada gun a bhith a' cluinntinn bhuaipe.

Carson a-nis agus an-diugh?

Às dèidh nam bliadhnaichean uile?

Bha an sgeul aice cho annasach nach gabhadh e creidsinn.

Agus nam b' e an fhìrinn a sgrìobh i, dè bhiodh sin a' ciallachadh dha-san?

Gum biodh piuthar aige? Uill, bha fios aige air sin roimhe, chan e rud ùr a bha seo. Tha mìltean de dhaoine eile ann aig a bheil piuthar no bràthair agus iad gun a bhith gam faicinn no bruidhinn riutha idir. Ach cha robh dùil idir gun cluinneadh e bhuaipe gun a bhith a' smaoineachadh air am faiceadh e i no an tachradh e rithe eadhan latha brèagha air choreigin.

An atharraicheadh am fios sin a bheatha?

Uill, dh'atharraich mar-thà ann am priobadh na sùla ach saoil an tilgeadh e an litir air falbh an oisean an rathaid?

An ceann beagan làithean bhiodh a bheatha mar a bha e roimhe.

Aig an dearbh mhionaid nuair a smaoinich e sin, dh'fhairich e gun do dh'fhàs e feargach mun litir seo.

Bha sin fhèin cho suarach is mosach.

Ruinnlich e an litir is chuir e don phoca i.

Ruith e tarsainn air an t-sràid, feuch am faigheadh e an tram a bha a' dlùthachadh gu luath.

---

ruinnlich *crumple*

12

Hans continued to write to Màiri without ever knowing if his letters were reaching her or if she and their daughter were safe. Caitrìona wonders if she will ever get an answer from Alexander.

Chaidh a h-uile sìon ceàrr an latha ud. Chan ann a-mhàin gun robh dìle ann fad an latha – bha tòrr obrach aige a-muigh sa phàirce – ach cha do nochd co-obraiche agus mar sin bha aige an obair san taigh-ghlainne a dhèanamh cuideachd. Tanachadh nan lusan beaga, ùra – is e obair fhada is ràsanach a bh' ann ach cudromach aig a' cheann thall. Ach ged a dh'fheuch e ri a dhìcheall a dhèanamh, cha deach aige air idir. Mar a b' àbhaist bhiodh an ùine a' dol seachad cho luath ach an-diugh bha coltas gum biodh a h-uile rud a' tachairt cho uabhasach slaodach. Agus leis an dòrainneachd thàinig na beachdan, is cha b' urrainn dha stad a chur orra. Carson a thàinig an litir mhallaichte ud an-diugh, carson nach robh e air tighinn o chionn fichead bliadhna chun athar? Nach b' esan a bhiodh air a bhith toilichte an teaghlach aige fhaicinn a-rithist. Às dèidh na bha esan a' fulang sa phrìosan. Agus an uair sin?

Duine foghlamaichte a bha na athair, ach leis gun do dh'fheuch e ri teicheadh, chaill e gach còir beatha no obair dha fhèin a thaghadh san dùthaich aca. B' fheudar dha còig bliadhna a chur seachad sa phrìosan. Còig

---

ràsanach *dull, boring*

bliadhna ann an rùm na aonar, thuirt iad gum biodh e na chunnart do na prìosanaich eile, on a dh'fheuch e ris an dùthaich fhàgail gu mì-laghail. Nuair a bha e air faighneachd am biodh dòigh laghail ann ma-thà, cha d' fhuair e ach aran tioram, dubh is uisge fad seachdain an uair sin.

Bha cuimhne glè mhath aige air na sgeulachdan uile a dh'innseadh athair dha uaireannan, ged nach robh e furasta dha bruidhinn mu dheidhinn – cha dèanadh e sin ach glè ainneamh. Fir-cheasnachaidh bhrùideil, ga dhùsgadh aig trì uairean sa mhadainn, a' faighneachd dheth nan aon cheistean a-rithist agus a-rithist, cò na daoine a bha air a chuideachadh leis an ròpa agus mar sin air adhart. Cha do chreid iad gum b' esan a-mhàin a bha air am plana aige fhèin a chur air dòigh.

Cha robh cead aig daoine eile tadhail air. Mu dheireadh thall dh'fhàs e tinn agus gun teagamh sam bith bhiodh e air bàsachadh mar chù anns a' phrìosan mura reiceadh an riaghaltas e don Iar aig a' cheann thall. Agus mar a dh'innis e iomadach turas do dh'Alexander, cha robh e ag iarraidh fàgail nuair a bha cothrom aige. Cha robh e ag iarraidh a mhac fhàgail air cùlaibh a' chùirtein-iarainn.

... air an latha ud nuair a chuir iad a-steach don chàr mi gus mo thoirt don Iar, b' e sin an latha a b' uabhasaiche a bha agam a-riamh. Cha b' ann a-mhàin gun robh mi air mo bhean is mo nighean a chall, b' ann a-nist gun do chaill mi mo mhac cuideachd. Chan fhaca mi mar a chaidh an làraidh leis na prìosanaich thairis air a' chrìch eadar an dà Bherlin, cha robh uinneagan aig an làraidh, ach nuair a sheall mi air ais às dèidh dhomh an Iar a ruigsinn, chunnaic mi gur e mòr-phrìosan a bha anns an GDR air fad. Balla àrd agus geata anns a' bhalla le

---

fear-ceasnachaidh *interrogator*

crann-bacaidh, saighdearan ga dhìon agus air cùlaibh a' chiad bhalla sin, stiall le gainmheach geal far am faiceadh tu lorgan gach duine a dh'fheuchadh ri teicheadh, air cùl sin balla-bacaidh eile agus feans le innealan-losgaidh automataigeach. Gun a bhith a' bruidhinn mu na coin a bhiodh às do dhèidh nan rachadh agad a' chiad bhalla agus an fheans a shreap. San oidhche bhiodh solasan làidir a' soillseachadh an taobh a-staigh eadar an dà bhalla. Cha robh cothrom ann faighinn troimhe ach air cunnart do bheatha a-mhàin. Agus smaoinich, a Mhàiri, smaoinich... a' chiad rud a rinn mise nuair a ràinig mi an Iar, b' e sin, gun do choisich mi gu Bernauer Straße, feuch am faicinn an taigh againn. Ach nuair a ràinig mi an t-àite, bu ghann gun do dh'aithnich mi tuilleadh e. Far am b' àbhaist na taighean a bhith, cha robh ach am balla ri fhaicinn. Bha iad air na taighean a leagail uile – dìreach ann an aon àite a-mhàin chunnacas a' chiad làr den aon taigh a chaidh air fhàgail – na h-uinneagan uile air an lìonadh le clachan.

Tha mi an dòchas gun ruig an litir seo thu air an t-seòladh a th' agam. Cha robh e furasta sin fhaighinn a-mach. Tha mi a' smaoineachadh gu bheil mi a' fuireach anns an aon champa anns an robh thu fhèin nuair a ràinig thu an Iar – nach iongantach sin. Tha mi an dòchas gum bi Katharina slàn fallain, tha fadachd orm an dithist agaibh fhaicinn agus tha mi gur n-ionndrainn gu mòr.

Chan eil fhios agam ciamar a tha Alexander, sgrìobhaidh mi chun na sgoile aige cho luath agus a ghabhas ann an dòchas gum faigh mi fiosrachadh bhuapa – ged a tha teagamh agam am faigh mi dad idir.

Le gaol
Hans

---

crann-bacaidh *barrier*

Bha i air tilleadh do thaigh a màthar gus tuilleadh sgioblachaidh a dhèanamh. Ach cha do rinn i mòran ach na litrichean a leughadh. Saoil am faigheadh i fhèin freagairt bho a bràthair. Càit am biodh e an-dràsta? Aig obair? Ceithir uairean an seo – b' e sin còig uairean sa Ghearmailt. Is dòcha gun robh e air an t-slighe air ais dhachaigh. Is dòcha gun robh e pòsta agus gun robh clann aige.

Agus is cinnteach gur òinseach ise leis na bha i air tòiseachadh. Cha b' e comhairliche math a bha ann an ròmansachas idir. Thigeadh briseadh-dùil na chois. Chuir i an solas dheth, dhùin i an doras is chaidh i dhachaigh. Bitheadh e mar a bhitheadh e, an tigeadh litir no nach tigeadh.

Mu 1,000 mìle air falbh shuidh Alexander san tram air an t-slighe dhachaigh, an litir na làimh, an-fhoiseil agus gun dad a dh'fhios aige dè dhèanadh e.

13

Reading about Hans's imprisonment and interrogation is tough going. Caitriona realises she needs to confide in someone and it's good to talk to her friend Morag, but the email from Alexander isn't the response she'd been hoping for.

Liebe Marie,

Chan eil fios agam am freagair thu idir na litrichean agam agus nach fhaigh mise iad, no am faigh thu iad idir air sàillibh 's gun tèid an cumail air ais an seo. Ach sgrìobhaidh mi thugad co-dhiù agus ma ruigeas an litir seo thu, feuch an innis thu do Khatarina mu a h-athair gus nach dìochuimhnich i gu bheil fear aice.

Fhad 's a bhios mi beò bidh mi a' cuimhneachadh mar a thachair dhomh às dèidh dhut am flat againn fhàgail tron uinneig don Iar. Chì mi fhathast thu a' tuiteam air an t-sràid, an luchd-smàlaidh gad ghlacadh agus gad ghiùlan gu taobh eile na sràide, an nighean bheag againn anns an rugsag còmhla riut. Bha mise dìreach an impis do leantainn tron uinneig ud nuair a bhris na poilis tron doras a-steach don fhlat agus iad a' dlùthachadh gu luath dham ionnsaigh.

Chan eil fhios agam an gabh sin tuigsinn, ach thachair a h-uile sìon aig an aon àm ach nad inntinn tha e mar gum biodh tu a' coimhead air film anns a bheil thu fhèin a' gabhail pàirt cuideachd. Ghabh mi grèim air an ròpa ach aig an aon àm thuig mi nach b' urrainn dhomh sreap leis a' bhaga, anns an robh Alexander, na mo làmhan. Bha esan a' gal. A bharrachd air an sin bha na poilis a' glaodhadh gus mo chumail air ais, bha an *seòmar làn daoine agus aig an aon àm bha mi a' faireachdainn cho uabhasach aonranach, cha chreideadh tu e. An dearbh mhionad nuair a mhothaicheas tu gun do rinn thu mearachd, mearachd aig a bheil buaidh air do bheatha air fad, b' e sin aon de na mionaidean a b' uabhasaiche nad bheatha-sa.*

Chan eil mi airson fàs dramataigeach ach innsidh mi dhut na thachair cho mionaideach agus a ghabhas.

Ghabh aonar de na poilis grèim air a' bhaga anns an robh Alexander, agus ruith e air falbh leis. Gun fhiosta dhomh bha mise às a dhèidh feuch am faighinn mo mhac air ais ach chùm na poilis eile air ais mi. Am priobadh na sùla bha mi ann an glasan-làimhe is chaidh mo stiùireadh gu làraidh a bha a' feitheamh an cùl an taighe. Nach neònach gun do thachair sin cho sàmhach – chan eil cuimhne agam an robh mi ag èigheachd, an tuirt na poilis dad, an robh i fuar no blàth, chan fhaca mise ach thu fhèin air an taobh eile den t-sràid agus am polasman le Alexander anns a' bhaga a' ruith air falbh.

Bha fios agam air càit an rachamaid. Cha b' fhada gus an do ràinig sinn am prìosan, thug iad an crios agus na iallan-bròige dhìom agus chuir iad gu rùm beag salach mi far nach robh ach bucaid fhalamh a' feitheamh orm. Dhùin an doras, chaidh a ghlasadh agus bha mi ann an rùm dorch gun solas idir.

Chan eil fhios agam dè cho fad 's a bha mi san rùm seo, cha robh uinneag ann, chan fhaiceadh tu am biodh e dorch no soilleir a-muigh ach gu h-obann dh'fhosgail an doras a-rithist agus an toiseach chan fhaca mi dad nuair a chaidh an solas a chur air.

Fear-ceasnachaidh a bh' ann a rèir coltais.

Thug e dà chathair a-staigh bhon trannsa, thug e fear dhomh.

'Buail do thòn fodhad.'

Rinn mi sin, agus gu slaodach rinn e fhèin suidhe air a' chathair eile.

---

glasan-làimhe *handcuffs*

Bha sinn nar suidhe mar sin, aghaidh ri aghaidh, is bha sinn a' coimhead air a chèile gun facal a ràdh.

Thug e siogarait dhomh agus aig an dearbh tiota nuair a bha mi airson a ghabhail, bhuail e a dhòrn nam aghaidh gus an do thuit mi bhon chathair don làr. Airson greiseig dh'fhàs e dorch timcheall orm, dh'fhairich mi blas fala nam bheul agus gun robh mo shròn briste. Ach sheas mi a-rithist cho luath agus a ghabhadh ach bu ghann a bha mi air èirigh gun d' fhuair mi breab-coise nam mhionach.

Chan eil mi ag iarraidh tuilleadh innse dhut ach dìreach gum b' e toiseach-tòiseachaidh de shreath cheasnachaidhean a bha seo agus chan eil fhios agam dè cho fad 's a mhair iad. An rud a bu mhiosa – b' e sin an t-àm nuair a bha mi air ais sa chealla agam, feuch am faighinn beagan caidil ach mise aig an aon àm làn eagal mo bheatha air cuin a dh'fhosgladh an doras a-rithist...

Cha b' urrainn dhi leughadh tuilleadh. Bha deòir a' ruith sìos a lethcheann agus a-rithist dh'fhairich i cho aonranach agus a bha i. Cha ghann nach robh caraidean aice anns a' bhaile ach gu h-obann chunnaic i gun robh i fhèin aonranach, gun robh a màthair aonranach far an robh i agus feumaidh gun robh a h-athair air a bhith a cheart cho aonranach. Agus Alexander? Cò aig' a bhiodh brath, bha i air dòchas a chall gum faigheadh i freagairt bhuaithe idir leis cho fada a bha e on a bha i air an litir a chur chun na Gearmailt. Choimhead i timcheall oirre. Bha an taigh gu math falamh a-nise agus leis an sin dh'fhalbh spiorad a màthar cuideachd, le gach sac-plastaig a thug Caitrìona do na bogsaichean-sgudail, is ann a dh'fhalbh e beag air bheag.

Saoil dè dhèanadh i leis an taigh, nam...

Dh'fheuch i ri a gruaim fhuadachadh ach cha do shoirbhich leatha.

Cha robh ise airson fuireach anns an taigh seo, bha e ro

fhada air falbh bhon bhaile agus ro bheag. An dèanadh i taigh-samhraidh do luchd-turais dheth? Bhiodh sin ceart gu leòr airson beagan seachdainean as t-samhradh ach an corr den bliadhna bhiodh e a' grodadh anns an t-sìde gharbh a bha san eilean seo. Agus leis na beachdan troma seo dhràibh i air ais don bhaile.

Nuair a ràinig i an crois-rathad aig an eaglais chunnaic i a banacharaid Mòrag. Meadhan-latha a bh' ann agus bha i air an t-slighe dhachaigh bho oifis a' phuist, a bhiodh i a' fosgladh a-rithist feasgar. Agus ged nach robh i airson bruidhinn ri cuideigin, dh'fhosgail i uinneag a' chàir is dh'èigh i thairis air an rathad, 'A Mhòrag, trobhad a-staigh agus gabhaidh sinn cupa cofaidh còmhla.'

Ruith Mòrag tarsainn an rathaid. Leum i a-steach don chàr agus dhràibh Caitrìona don chafaidh bheag sìos an rathad far an robh taigh-tasgsaidh beag agus bha fios aice dè dh'fheumadh i a-nise – cofaidh, pìos den chèic bhlasta a bha aca sa chafaidh sin agus comhairle Mòraig, a' bhanacharaid a b' fheàrr a bh' aice. Ged a bha i ag obair an oifis a' phuist agus i a' gabhail naidheachdan a' bhaile fad an latha, bha i tostach nuair a thigeadh e gu rudan is cuspairean pearsanta agus bha Caitrìona toilichte gun robh i na banacharaid dhi.

Ràinig iad an seann taigh-sgoile far an robh an cafaidh ach cha do dh'fhàg iad an càr. Bho thaobh a-muigh chan fhacas ach tè air an stiùir a bha a' bruidhinn fad an t-siubhail agus tè eile a bha ag èisteachd rithe a rèir coltais, uaireannan a' crathadh no ag aomadh a cinn no a' feuchainn ri rudeigin a ràdh cuideachd.

Dh'fhaodar innse an seo cò mu dheidhinn a bha iad a' bruidhinn,

---

ag aomadh *nodding*

gun do dhìochumhnich iad cofaidh is cèic,
gun tàinig tè a' chafaidh agus
gun tug i cupa cofaidh dhaibh tro uinneig a' chàir,
gun do rinn an triùir aca gàire agus iad toilichte,
gur e fìor charaidean a bh' annta,
gun do mhol Mòrag do Chaitrìona siubhal don
Ghearmailt cho luath agus a ghabhadh,
gun tuirt Caitrìona nach robh i cinnteach,
gur e sin an rud ceart a bu chòir dhi dèanamh, ach
gum biodh i a' beachdachadh air na mhol Mòrag dhi.

Rinn iad air ais don bhaile agus dh'fhalbh Mòrag a
dh'fhosgladh oifis a' phuist a-rithist agus chaidh Caitrìona
a dh'obair san sgoil. Tro uinneig na h-oifise aice chunnaic i
cùl an taigh-chùraim far an robh a màthair a' fuireach.
Dhùisg fuaim a' choimpiutair i às a beachdan.
'S e post-dealain a bh' ann.
Às a' Ghearmailt.
Bho: Alexander.Schmidt.koeln@gmx.de

Sehr geehrte Frau MacDonald,
Fhuair mi an litir agaibh ceala-deug air ais agus an toiseach cha
robh fios agam am bu chòir dhomh a fhreagairt. Tha mi cinnteach
gum bi sibh a' tuigsinn gun robh e na iongnadh mòr dhomh gun
d' fhuair mi litir, chan ann às a' Ghearmailt, ach à Breatainn bho
bhoireannach a tha ag ràdh gum b' ise mo phiuthar.
Nam biodh e mar sin, tha ceistean ag èirigh, m.e. carson
nach d' fhuair mi fhìn no m' athair leithid de litir roimhe ach
an-dràsta fhèin? Feumaidh gun robh fios agaibh fad ùine
mòire gun robh sinn beò fhathast, feumaidh gun robh e fada na
b' fhasa dhuibh litir a sgrìobhadh bhon Iar don Ear seach bhon
taobh againne thugaibhse. Agus feumaidh gun robh ùidh air a
bhith aig mo mhàthair air faighinn a-mach am bitheamaid beò
is slàn fallain – mi fhìn agus an duine aice.

*Chan eil e furasta leithid de litir a fhreagairt agus leis an
fhìrinn innse, chan eil fadachd orm tè eile fhaighinn. An sibhse
mo phiuthar? Am mise ur bràthair? Cò aig' a tha brath? Tha
mi coma. Fàgamaid gnothaichean mar a tha iad, tha sibhse
thall ann am Breatainn is mi fhìn a-bhos sa Ghearmailt.*

*Is mise le meas
Alexander Schmidt*

Choimhead i air an sgrìon agus leugh i a-rithist na
chunnaic i an sin. Bha i air cluinntinn gun robh na
Gearmailtich gu math cruaidh is dìreach nam beusan ach
cha robh dùil air a bhith aice ri freagairt den t-seòrsa ud.

Ach dè eile? Gu dearbh fhèin bu mhiann leatha gum
faigheadh i rudeigin air ais a dh'innseadh dhi cho toilichte
agus a bhiodh e gun do lorg e a phiuthar mu dheireadh
thall, ach gu follaiseach bha i air cus siabainn-telebhisein
fhaicinn. Cha robh e fiù 's ag iarraidh gum biodh iad
a' coinneachadh ri chèile an àiteigin. Cha robh ùidh aige
innte idir, bha sin soilleir a rèir a' phuist-dealain sin.

Chuir i an coimpiutair dheth agus dh'fhàg i an oifis aice.
Deoch anns an taigh-òsta shuas an rathad – b' e sin na bha
a dhìth oirre a-nist.

14

*Once she's decided to make the journey, Caitrìona is impressed by
the sights of Cologne, but turning up unannounced on Alexander's
doorstep might not have been the best idea.*

Cha robh litir eile air tighinn anns na seachdainean às dèidh
sin. Agus do na caraidean aice bha coltas gun robh Caitrìona
a' leantainn a beatha àbhaistich – ag obair san sgoil, a' tadhal
air a màthair, a' cuideachadh charaidean sa bhaile agus mar
sin air adhart. Rud nach fhaca iad, 's e nach do thòisich i an
latha gun a bhith a' coimhead air a' choimpiutair, feuch am
faigheadh i post-dealain às a' Ghearmailt.

Aon mhadainn thàinig stad na ceum nuair a bhathar
a' bruidhinn mu phost-dealain às a' Ghearmailt air *Prògram
Choinnich*, ach cha b' e sin ach cuideigin a bhiodh ag innse
nan naidheachdan às ùire às an dùthaich sin.

Bha am beachd air grèim a ghabhail agus far am bi toil,
bi gnìomh. Mar sin bha i air a h-uile sìon a chur air dòigh
gus siubhal don Ghearmailt.

A' chiad latha de na saor-làithean ghabh i am bàta don
Òban, dhràibh i a Dhùn Èideann, dh'fhàg i an càr aig an
raon-parcaidh an Ingliston agus ghabh i am bus gu ruige port-
adhair Dhùn Èideann. Deagh chleas a bha seo airson beagan
airgid a shàbhaladh – gun a bhith a' pàigheadh nam prìsean
do-chreidsinneach aig raon-parcaidh a' phuirt-adhair fhèin.

Gach uair a bha i ann am port-adhair – gu fortanach
cha do thachair sin cho tric – chuir e iongnadh oirre gun
robh barrachd feitheimh na siubhail a' dol an sin. Bhite

a' feitheamh gus am fosgladh nan deasgan, an uair sin bhite
a' feitheamh ann an sreath fada airson nan ticeadean, an
uair sin airson na bagaichean fhàgail no a thogail. Bha uair
a thìde eile ann airson seopadaireachd a dhèanamh anns na
mòr-bhùthan. Cheannaich i botal beag uisge-bheatha – is
dòcha gun còrdadh seo ri a bràthair. Agus mura còrdadh,
bha i cinnteach gun cuireadh i fhèin feum air co-dhiù.

Sreath fada eile airson an cead-siubhail a shealltainn agus
mar sin air adhart. Bha seo a' cur na cuimhne carson nach
robh i dèidheil air an dòigh-siubhail seo idir.

Mu dheireadh thall dh'fhàg an t-itealan Dùn Èideann
agus an ceann dà uair a thìde rinn e laighe ann an Cologne/
Bonn sa Ghearmailt. Sreathan is feitheamh a-rithist.

Cha b' fhada gus an d' fhuair i a-mach far am biodh an
trèana a' dol gu meadhan a' bhaile. Chaidh an trèana tro
sgìre làn de dh'ionadan-gnìomhachais is factaraidhean, mòr-
bhùthan àirneis agus raointean-parcaidh. Beag air bheag
thòisich sreathan de thaighean – an toiseach feadhainn bheaga
gus an do dh'fhàs iad na b' àirde. Cha robh dad sònraichte
ann – na peacannan-ailtireachd àbhaisteach a bhathar a' togail
anns na trì-ficheadan anns a h-uile àite a rèir coltais.

Ràinig an trèana an drochaid mhòr thairis air an Rhein.
Abhainn mhòr, leathann a' sruthadh gu slaodach agus am
baile fhèin a' sìneadh air dà bhruaich na h-aibhne. Bha
sealladh de na bha air fhàgail bhon t-seann-bhaile dìreach
àlainn. Taighean nam meadhan-aoisean, eaglaisean nam
measg, agus an teis-meadhan a' bhaile – dìreach ri taobh
a' phrìomh-stèisein – an àrd-eaglais Ghothach, mhòr.

Dh'fhàg i an stèisean tron talla-ghlainne mhòr agus
thachair dhi mar a thachradh do gach duine a chitheadh an
àrd-eaglais airson a' chiad turais.

An àrd-eaglais. Dubh, mòr agus cumhachdail. An dà
thùr àrd a' coimhead sìos air an luchd-siubhail a bha cho
beag ri seanganan, a' ruith ann an cabhaig timcheall air

an togalach, no dìreach a-steach don eaglais air an aon
taobh agus a-mach aiste air an taobh eile – bha sin na bu
ghiorra na bhith a' coiseachd timcheall oirre. Agus mar
gach neach, chaidh Caitrìona a tharraing a-steach innte.
Le a cuid bhagaichean choisich i gu slaodach tron eaglais
mhòir sin, gun facal a ràdh – agus cò ris a bu chòir dhi
bruidhinn co-dhiù? – ach bha i dìreach balbh le bòidhchead
an togalaich. Agus air cùlaibh an altair – naomh-chiste
òrach nan Trì Rìghrean – aon de na pìosan as prìseile bho
na meadhan-aoisean ann an eachdraidh ealain air feadh an
t-saoghail. Seo i a' suidhe air an altar sin agus ged a ghoid
Napoleon i, ged a chaidh am baile a bhomadh cho trom
anns a' chogadh, chaidh a sàbhaladh tro na linntean gu
ruige an latha an-diugh.

''S e mìorbhail a th' ann,' thuirt Caitrìona rithe fhèin,
loisg i coinneal bheag agus i an dòchas gun tachradh
mìorbhail bheag dhi cuideachd, gum faiceadh i a bràthair a
dh'aithghearr. Rinn i suidhe air aon de na beingean agus às
dèidh greis choisich i gu slaodach tron eaglais is dh'fhàg i
bhon taobh eile i, a' dol gu meadhan a' bhaile.

A-muigh chaidh a dalladh airson diog no dhà le solas na
grèine, oir bha e cho dorch a-staigh anns an eaglais. Chùm
i oirre gu aon de na taighean-òsta mòra aig bruach abhainn
Rhein. Bha an seòmar cofhurtail agus snog, le uinneig don
Rhein agus às dèidh dhi cupa tì òl thill i air ais do dh'ionad-
fàilte an taigh-òsta is dh'fhaighnich i den neach a bha ag
obair ann, am faigheadh e seòladh dhi.

Às dèidh beagan mhionaidean bha i a' feitheamh ri trèana
fo-thalamh a bhiodh ga toirt chun an taighe far an robh a
bràthair a' fuireach.

Stèisean às dèidh stèisein bha an trèana a' dlùthachadh
ris a' cheàrnaig far an robh flat Alexander.

---

naomh-chiste *shrine*

Cha tug e ach mu dheich mionaidean faighinn ann ach
dh'fhairich e na bu choltaiche ri uair a thìde.

Stad an trèana.

Choimhead i air a' phìos pàipeir na làimh.

B' e sin an stèisean ceart.

Dh'fhàg i an trèana agus dhìrich i an staidhre suas don
t-sràid. Zülpicher Straße 28.

Nach sin tha inntinneach, thuirt i rithe fhèin. Ann an
Gearmailtis thig ainm na sràide an toiseach agus àireamh
an taighe às dèidh sin.

Choisich i sìos an t-sràid. Sràid gu math trang a bh' innte,
le daoine de gach seòrsa, sean is òg – mòran oileanach
nam measg, a rèir coltais. Bùthan beaga, taighean-bìdh,
cafaidhean, bùth-leabhraichean no dhà agus tramaichean
a' siubhal suas is sìos.

Ràinig i an taigh. Seann taigh a bh' ann bho àm a' Khaiser,
aghaidh an taighe air a sgeadachadh gu snasail ach rud beag
air grodadh tro na bliadhnaichean. Bha cafaidh Arabach air
a' chiad làr agus bha ceithir làran eile le flataichean ann.
Cha robh sgeul air inneal-còd aig an doras mar a chunnaic
i ann an taighean an Glaschu. Bha an doras fosgailte agus
chaidh i a-steach.

Bho thaobh a-staigh cha bhiodh beagan peantaidh air a
bhith dona, bha coltas grod air an trannsa. Ri taobh na staidhre
mhothaich i sreath de bhogsaichean-litreach le ainmean orra.

Sreath a dhà, bogsa a ceithir – b' e sin e: Alexander
Schmidt.

Bha i ceart an seo agus thòisich i an staidhre a dhìreadh
gus an do ràinig i an treas làr.

Sanas beag air an doras: Alexander Schmidt.

Sheirm i.

Cha chuala i guth.

Sheirm i a-rithist.

Dad de fhreagairt.

Feumaidh nach robh e a-staigh agus gu dearbh fhèin bhiodh e ag obair gu feasgar.

An toiseach cha robh i cinnteach dè dhèanadh i.

Is dòcha tilleadh feasgar?

Ach b' esan an aon adhbhar gun robh i an seo agus mar sin rinn i suidhe air an staidhre agus chuir i roimhpe feitheamh ris gus an tilleadh e dhachaigh.

Tha fuaimean annasach aig taighean air nach eilear eòlach.

Bha e cho sàmhach anns an taigh, ged a bha an t-sràid gu math trang le càraichean is tramaichean. Uaireannan thuit i na cadal, dhùisg i a-rithist le fuaim cheumannan anns an trannsa gu h-ìosal ach cha do nochd duine sam bith. Turas no dhà chuala i fuaim a thàinig bho seann phìoban-uisge, fuaim taigh-bhig anns an fhlat os a cionn is dòcha.

Às dèidh dhi a bhith a' feitheamh fad uairean a thìde – bha e leth-uair an dèidh sia mar-thà – bha i airson falbh oir bha an t-acras oirre. Bha i dìreach an impis an staidhre a theàrnadh nuair a chuala i ceumannan a' dlùthachadh rithe gu luath.

Nochd cuideigin air an staidhre.

Duine àrd le falt bàn ann an aodaich-obrach gorm.

Duine gasta le aodann fosgailte.

Choimhead e oirre.

'Seadh?!'

'An sibhse Alexander Schmidt?'

''S mi. Carson?'

Choimhead e oirre agus nuair a thachair a shùilean ri a sùilean-sa thuirt e gu slaodach, sàmhach, 'Agus is sibhse Caitrìona...!'

''S mi.'

Sàmhchair.

Cha robh fios aca dè cho fada 's a bha iad nan seasamh aig an doras, a' coimhead air a chèile gun facal a ràdh.

Mu dheireadh thall b' e Alexander a bhris an t-sàmhchair nuair a thòisich e air bruidhinn a-rithist.

'Nist, on a tha sibh an seo co-dhiù, carson nach tig sibh a-steach?'

Dh'fhosgail e an doras.

Lean Caitrìona a-steach e.

Bha an trannsa dorch ach dh'fhosgail Alexander doras don t-seòmar-suidhe. Bha na seòmraichean anns na seann taighean uile mòr le mullaichean is uinneagan àrda agus bha solas na grèine a' deàrrsadh air àirneis seann-fhasanta – bha coltas ceud bliadhna a dh'aois oirre – agus dealbhan air na ballaichean. Choisich i na bu dlùithe ris na dealbhan feuch am faiceadh i na bha iad a' sealltainn. Dà dhealbh-chamara air an leudachadh ann an dubh is geal a bh' annta. Chunnacas sràid àiteigin ann am baile mòr air aon dhiubh agus teaghlach òg le dithist chloinne air an fhear eile. Bha Caitrìona an impis faighneachd de dh'Alexander mu na dealbhan ach chùm i na ceistean aice fhèin an-dràsta, air eagal dè dhèanadh a bràthair nam biodh ise ro luath le bhith a' cur dragh air.

'Dèanaibh suidhe,' dh'èigh e às a' chidsin an ath-dhoras. 'An gabh sibh cupa cofaidh?'

'Gabhaidh,' fhreagair ise agus shuidh i air seòrsa de seann langasaid.

Thàinig e às a' chidsin le dà chupa is botal bainne is chuir e air a' bhòrd iad.

Rinn e suidhe air cathair-ghàirdeanach mu choinneimh a phiuthar. Cha tuirt iad dad. Ghabh i an cupa gu diùid agus shìn i a làmh a ghabhail a' bhainne. Aig an aon àm dh'fheuch Alexander ris a' bhainne a thoirt dhi agus bhuail e ann an làimh a pheathar agus leig ise am bainne tuiteam don bhòrd.

Leum i suas gus nach dòrtadh am bainne bhon bhòrd air a briogais agus le sin chaill an cupa a ghrèim air a' bhòrd is thuit e don làr. Sheas Alexander cuideachd agus bha iad a' coimhead air a' bhainne a bha a' sileadh bhon bhòrd don làr agus a' drùdhadh anns a' bhrat-ùrlair thiugh.

'Tha mi uabhasach duilich,' thuirt i agus cha mhòr nach do thòisich i air gal leis cho nearbhasach 's a bha i.

Ghlan Alexander am bòrd, thionndaidh e don chidsin agus thill e le cupa cofaidh ùr is botal bainne eile is thug e a-nall don bhòrd iad.

Choimhead e air Caitrìona agus i na seasamh gu mì-chofhurtail eadar am bòrd agus an langasaid.

'Saoil am feuch sinn ri tòiseachadh às ùr?' Agus le faite-ghàire na aodann shìn e an cofaidh agus am bainne rithe is thuirt e gu sàmhach, 'Is math gun tàinig thu agus nach fortanach thusa gun robh botal bainne eile agam.'

Choimhead i air, rinn i gàire dhiùid agus ghabh i am botal beag uisge-bheatha às a pòca is thug i dha e.

'Agus nach tusa a tha fortanach gu bheil botal le deoch eile agam dhut. Tha mi an dòchas gur toil leat uisge-beatha.'

'Dè an còir a dh'iarradh tu,' fhreagair esan. Rinn iad suidhe is dh'òl iad.

Agus a-nist dh'fhaodar bruidhinn air
mar a dh'fhàs iad na bu eòlaiche air a chèile is na bu chofhurtaile,
mar a dh'innis Caitrìona dha bràthair mu am màthair,
mar a fhuair i lorg air na litrichean,
mar a fhuair i a-mach ma dheidhinn,
mar a bha a beatha anns an eilean
agus mar sin air adhart
... ach dè am feum sin a leughadh a-rithist, oir tha fios againn air mar-thà. Mar sin fàgaidh sinn an dithist anns an t-seòmar-suidhe sin, san taigh ud, san fheasgar seo, àiteigin ann an Köln.

15

Alexander hadn't expected to meet his sister like this, but now they plan to visit their father's grave together.

Bha Caitrìona air an oidhche a chur seachad san taigh-òsta ged a bha seòmar ann dhi ann am flat Alexander. Bha a h-uile sìon cho ùr dhi agus bha Alexander air sin a thuigsinn. Bha iad air coiseachd air ais don taigh-òsta agus air an t-slighe sheall Alexander dhi beagan den bhaile. Dh'fheuch i an leann ionadail cliùiteach agus chòrd e rithe. Dh'òladh tu e à glainneachan beaga – mu leth-phinnt annta – agus gun iarraidh bheireadh an neach-frithealaidh glainne às dèidh glainne dhut don bhòrd gus an canadh tu fhèin stad.

Agus gu dearbh fhèin, bha iad air cus òl. Bha ise coma mu dheidhinn ach bha aigesan ri bhith ag obair an ath mhadainn.

Dhùisg Alexander, dh'fhosgail e a shùilean, shuidh e suas agus choimhead e air an uaireadair. Deich uairean. Bha e fada ro fhadalach. Cha bu chòir dha an t-uisge-beatha seo, air nach robh e cleachdte, òl. Dh'èirich e is chuir e fòn gu co-obraiche ag innse dha nach tigeadh e don obair an-diugh agus e tinn. An uair sin chuir e fòn gu a phiuthar – nach neònach sin a ràdh – feuch an tigeadh i aig meadhan-latha gus grèim bìdh fhaighinn agus dh'aontaich i sa bhad.

Ghabh e fras agus às dèidh dha e fhèin a bhearradh, bha e a' faireachdainn na b' fheàrr.

Ghabh e cupa cofaidh agus rola le càise. Nuair a dhòirt e

beagan bainne don chofaidh, rinn e gàire a' smaoineachadh
air na thachair a-raoir. Bha e cinnteach nach tug Caitrìona
an aire ach b' ann nearbhasach a bha e air a bhith an-dè
cuideachd. Smaoinich thusa; tha thu a' tilleadh bhon obair,
gun dùil idir gum biodh rudeigin annasach a' feitheamh ort
aig an taigh agus gu h-obann tachraidh tu ri do phiuthar
nach fhaca thu ach nuair a bha thu fhèin glè bheag.

A' cuimhneachadh air ais bha e a' gabhail aithreachas
leis cho crosta 's a bha e air a bhith anns an litir a bha e air
sgrìobhadh thuice a dh'Alba. Nam b' e an-diugh an-dè…
Agus bha e air a bhith balbh a-raoir leis na dh'innis i dha.
An toiseach cha do chreid e nach robh fios aice gun robh
bràthair aice ach a-nise bha cùisean na bu soilleire dha.
Bhiodh e inntinneach a mhàthair fhaicinn. Ged a bha eagal
air. Ach chitheadh e.

Cha robh esan air mòran innse do Chaitrìona a-raoir.
Cha robh dùil aige ri sin ach thachair e gun fhiosta dhaibh.
Ach bhiodh ùine gu leòr a-nochd. Gheall e gun rachadh iad
don chladh far an robh uaigh an athar.

16

Màiri never intended that Caitriona should find out about Hans and Alexander. She realises that her mental faculties are failing her, but there are still moments when she's perfectly lucid.

Abair latha brèagha a bha seo. Às dèidh dìle fad dà latha bha a' ghrian a' deàrrsadh bho iarmailt ghuirm is shoilleir. Bha na h-eòin aig an uinneig a' ceilearadh agus bha Màiri fhèin ann an deagh shunnd an-diugh. Ged a bhiodh am pian na casan gu tric gu math dona, cha robh an-diugh leis cho blàth is tioram 's a bha i.

Bha i ag ionndrainn a nighinn, Caitrìona. Nuair a ràinig a' chairt-phuist seo an-dè bha fios air a bhith aice sa bhad gun robh i sa Ghearmailt. Nise bha rud air tachairt nach bu chòir a bhith a' tachairt gu bràth. Bha Caitrìona air faighinn a-mach mun cheangal ri taobh eile an teaghlaich.

Ged a stad na litrichean o chionn beagan bhliadhnaichean, cha do chreid Màiri a-riamh gum faiceadh no gun cluinneadh i dad eile bho Hans is Alexander fhàd 's a bu bheò i. Le cinnt chan innseadh i do Chaitrìona gu brath. Bha adhbharan aice airson sin.

Dh'fhairich i fhèin na bha a' dol an taobh a-staigh dhith. Gun robh i air fàs troimh-a-chèile. Agus nach fhàsadh e na b' fheàrr. Cha do chreid i na thuirt a' bhanaltram no an dotair. Cha tigeadh feabhas oirre. 'S e seargadh-inntinne a bh' ann agus dh'itheadh e na bha air fhàgail den eanchainn aice. Beag air bheag, ach dh'itheadh le cinnt agus cha robh leigheas ann. Dh'fhàs sin na bu soilleire bho latha gu latha.

Bha fios aice gun robh i a' tighinn beò eadar dà shaoghal
o chionn beagan mhìosan. An toiseach cha do mhothaich i
den dolaidh sin. Ach 's ann na bu trice a-nist nach robh an
saoghal taobh a-muigh dhith agus am fear taobh a-staigh
dhith co-ionann tuilleadh. Gun tàinig faclan às a beul nach
robh i ag iarraidh innse, gun robh ciall annta nach robh
i airson toirt seachad. Dh'fhairich i sin ann an sealladh
Caitrìona nuair a bha i a' bruidhinn mu rud agus a nighean
a' toirt fhreagairtean dhi aig nach robh ceangal sam bith
ris na dh'innis i fhèin roimhe. An toiseach bha i air a bhith
cinnteach gun robh Caitrìona sgìth air sàillibh cus obrach
no rud mar sin. Ach mean air mhean bha i cinnteach gur
ise fhèin a bu choireach gun do dh'fhàs mì-thuigse ann an
còmhradh, nach robh i fhèin comasach air beachdan soilleir
a thoirt seachad tuilleadh. Agus ann an aon phriobadh na
sùla dh'atharraich gnothaichean. Bha i a' faireachdainn cho
soilleir 's a bha i a-riamh ach b' e siud sna h-amannan nuair
a bha i leatha fhèin agus aonranach.

Agus an-dràsta fhèin bhiodh e air a bhith cho math nam
biodh an dithist còmhla rithe an seo.

Chaidh i don uinneig agus sheall i a-mach oirre. Bha e
grianach a-muigh agus bhlàthaich gathan na grèine a bha
a' deàrrsadh tron uinneig i. Chòrd an sealladh rithe. Cha
robh dad ann a chuireadh bacadh air an t-sealladh fharsaing
sin. Càraichean a' dol suas an rathad agus seachad air an
eaglais, agus chunnaic i an cladach air faire.

---

dolaidh *loss, degeneration*

17

Alexander and Caitriona visit the cemetery and he tells her about life in the East. They decide to take a trip to Berlin to see Bernauer Strasse for themselves.

'Chan eil fios agam, cha do bhruidhinn i a-riamh mu dheidhinn. An aon rud air a bheil fios agamsa, is e gun do phòs i a-rithist ann am Berlin agus gun deach sinn a dh'Alba an uair sin. Bha mi cho beag – smaoinich – cha robh fiù 's cuimhne agam gun robh bràthair agus athair agam air taobh eile a' bhalla. Agus cha do dh'innis i dhomh. Dad sam bith!

'Thogadh mise am Berlin gus an robh mi sia bliadhna. Chaidh mi don Khindergarten, chaidh mo mhàthair a dh'obair aig na Breatannaich. Bha mi coltach ris a' chloinn eile ach gun robh aon diofar ann agus is e sin gun do dh'ionnsaich mi Beurla gu math luath. Cha robh a' Ghearmailtis aig m' athair cho math agus b' fheudar do mo mhàthair Beurla ionnsachadh cuideachd. Mar sin bha e na b' fhasa dhuinn uile Beurla a bhruidhinn aig an taigh. Bha blas Beurla neònach agam nuair a bhithinn a' bruidhinn Gearmailtis agus bhiodh a' chlann eile a' fanaid orm. Ann an dòigh air choreigin bha e soilleir dhomh nach buininn dhaibh, gun robh rudeigin eile a' dol air adhart, rud nach robh mise a' tuigsinn. Nam faighnichinn de mo mhàthair, bheireadh i pòg dhomh gun a bhith ag innse dad.

'Agus m' athair? Nach neònach am facal athair a chleachdadh fhathast agus sinne air an t-slighe gu cladh ar n-athair-ne.'

Bha iad a' coiseachd suas sràid fhada. Stad Alexander, choimhead e rithe agus dh'aom e a cheann.

'Chan eil sin neònach idir,' fhreagair e ri a phiuthar.

'Bha e na athair dhut gus bho chionn beagan seachdainean air ais, agus bithidh fhad 's a bhios tusa a' smaoineachadh air-san mar athair. Às dèidh dhaibh m' athair-sa a chur don phrìosan, chaidh mo thogail ann an taigh-cùraim chloinne – cha do dh'innis iad dhomh idir cò m' athair gus an robh mi fhìn sean gu leòr airson faighneachd na bu trice agus na bu trice. Agus chaidh innse dhomh gun robh e ag obair an àiteigin anns an Ruis agus gun tilleadh e latha brèagha air choreigin gus mo thogail.

'B' ann mar sin a dh'ionnsaich mi a h-uile dad mun Ruis – pàrras mòr clas an luchd-obrach agus m' athair ag obair ann. Cha robh mi mì-thoilichte – 'eil fhios agad – cluinnidh tu cho tric gun robh a h-uile sìon cho dona air cùl a' bhalla. Ach ma tha thu nad phàiste, cha mhothaich thu sin. Cha robh mi eòlach air a' chaochladh. Dhòmhsa b' e sin a' bheatha àbhaisteach, ar beatha làitheil. Agus bha na daoine san taigh-chùraim snog is càirdeil. Chan eil cuimhne agam an robh iad brùideil no fiù 's crosta idir. Rinn iad cho math 's a b' urrainn dhaibh agus cha robh mise ag ionndrainn dad. Seach gun robh pàrantan aig cloinn eile agus nach robh màthair agam fhìn, chaidh innse dhomh gun do dh'fhalbh i o chionn fhada ach cha tuirt iad cuin, carson agus ciamar. Agus bha mi fhìn a' creidsinn gun robh i marbh, mar a bha màthair a' charaid a b' fheàrr agam.

'A bheil fhios agad – ma tha thu nad bhalach bheag, togaidh tu saoghal dhut fhèin timcheall air rudan nach eil thu a' tuigsinn.'

Bha iad air geata a' chladha a ruigsinn. Geata do chladh uabhasach mòr is farsaing. Bha eadhon sràidean a' dol troimhe. Choisich iad sìos prìomh sràid na cladha, far an robh na daoine beairteach air an tiodhlacadh. 'S e *Rathad nam Milleanairean* am far-ainm a bha air an t-sràid seo.

Uaighean coltach ri teampallan beaga. Air an laimh chlì sheall Alexander air uaigh mhòr aig fear Farina do Chaitrìona.

'Cò b' esan?' dh'fhaighnich i.

'B' esan an duine a chruthaich am boltrach 4711, *aqua mirabilis* à *Colonia.*'

'Ò, seadh. Inntinneach. Feumaidh mi botal den *Eau de Cologne* sin a cheannachd mus till mi dhachaigh.'

Choisich iad air adhart, seachad air uaighean dhaoine beairteach eile.

'Agus cuin a thill d' athair às a' phrìosan?' dh'fhaighnich Càitrìona.

'Thill nuair a bha mi ochd bliadhna a dh'aois. Mar, a b' àbhaist gheibheadh tu còig bliadhna airson feuchainn ri teicheadh ach fhuair esan ochd bliadhna. Chan eil fhios agam carson. Feumaidh gun robh an ùine a chuir e seachad ann gu math cruaidh. Dh'fhaighnich mi dheth mu dheidhinn às dèidh dhomh a choinneachadh a-rithist anns an Iar, ach cha robh e ro dheònach bruidhinn mu dheidhinn.

Thionndaidh iad gu deas agus chùm iad orra air slighe a bha na bu lugha is na bu ghiorra a-nist.

'Leugh mi beagan mu dheidhinn ann an aon de na litrichean,' thuirt Caitrìona. 'Ach cha do dh'innis e meud an uabhais air fad.'

Thionndaidh iad a-rithist gu ceum beag goirid eadar uaighean gus an do ràinig iad uaigh an athar.

'Hans Schmidt' , *ann am Berlin, + ann an Köln. Sin uile a bha sgrìobhte air a' chloich dhuibh. Bha flùraichean a' fàs air an uaigh – bha na h-uaighean cho eadar-dhealaichte

---

boltrach *fragrance, perfume*

*rugadh, + chaochail *comharraidhean a chleachdar air leacan-uaighe sa Ghearmailt* bhon fheadhainn ann an Alba, smaoinich Caitrìona. Bha flùraichean a' fàs agus coinnealan air an losgadh orra. Agus an cladh fhèin – 's e pàirce mhòr, bhrèagha le seann chraobhan àrda a bh' ann. Àite do na mairbh agus aig an aon àm do na beò cuideachd.

Loisg iad coinneal cuideachd agus sheas iad gu sàmhach, taobh ri taobh air beulaibh na h-uaighe. Cha chualas ach na h-eòin a' ceilearadh agus gu h-àrd chunnacas itealan ann an solas na grèine.

B' e Caitrìona a thòisich air bruidhinn a-rithist.

'A bheil fios agad far a bheil an t-sràid ud am Berlin. An t-sràid far an do theich iad tron uinneig?'

'Tha gu dearbh.'

'Bu toil leam an t-àite fhaicinn.'

'Ceart ma-tha. Ach chan fhaic thu mòran an sin tuilleadh.'

'Tha mi coma. Bu toil leam fhaicinn.'

'Taghta. Dè cho fad 's a bhios tu an seo?'

'Cho fad 's a thogras mi.'

'Ceannaichidh mi na ticeadan feasgar is gabhaidh sinn an trèana madainn a-màireach.'

18

The wall may have gone, but there's still evidence of where it used to be, and the exhibition they visit reminds them of the brutal punishments meted out to those who tried to escape.

Chaidh an trèana seachad air bailtean mòra gleann an Ruhr. Do Chaitrìona bha e mar a bhith a' siubhal tro aon bhaile mhòr fad na h-ùine leis nach fhaca i càit an crìochnaicheadh aon bhaile agus càit an tòisicheadh an ath bhaile. Agus an dèidh uair a thìde eile chaidh an trèana tro sgìrean uaine is rèidh. Leugh Caitrìona ainmean nan stèiseanan agus bha fios aice air cuid dhiubh bho na dh'innseadh a h-athair dhi.

Bielefeld... Gütersloh...

Dh'fhaighnich i de dh'Alexander.

'Seadh,' fhreagair esan, 'sin far a bheil na saighdearan Breatannach anns na campaichean Sennelager agus Munster. Dh'fhàg mòran a' Ghearmailt às dèidh ath-aonadh na dùthcha, ach tha cuid dhuibh ann fhathast.'

Ràinig an trèana mòr-bhaile Hanòbhair.

Ainm a chluinneadh i gu tric anns an sgoil.

Bha na chunnaic i bhon bhaile grànnda. Togalaichean àrda, mòr-bhùthan agus sràidean farsaing le tòrr trafaig.

Seachad air Magdeburg ràinig an trèana frith-bhailtean Bherlin.

Bha Caitrìona air fàs nearbhasach. Chitheadh i baile a breith mu dheireadh thall. Baile far an robh beatha teaghlaich eile air a bhith aca – ged nach b' ann ach airson ùine glè ghoirid.

Gu h-obann thuirt Alexander, 'Seall air an uinneig. Am faic thu an stiall gun togalaichean eadar na taighean ud?'

Chunnaic Caitrìona e. Eadar sreathan de thaighean chunnacas stiall fearainn far nach robh dad ach craobhan beaga a' fàs. Agus cha robh slighe tarsainn air.

'Sin far am b' àbhaist am balla agus an fheansa a bhith,' thuirt Alexander. 'Bha Berlin an Iar air a chuartachadh leis a' bhalla agus ruith am baile eadar an dà phàirt dheth, dìreach tro mheadhan a' bhaile fhèin. Agus smaoinich, cha robh ach trì mòr-rathaidhean is rathaidean-iarainn a-mhàin ann a bhiodh a' ceangal Bherlin agus taobh an Iar na Gearmailt.'

Cha robh e furasta do Chaitrìona sin a thuigsinn leis gun do shiubhail an trèana gun dragh sam bith gu ruige meadhan baile Bherlin far an do stad e ann an stèisean mòr agus spaideil. Chunnacas mìltean de dhaoine a dhìrich is a theàrnaich staidhrean gus an cuid trèanaichean a ruigsinn. Agus bha trèana às dèidh trèana a' ruigsinn is a' falbh gun sgur ann.

Ghabh iad am fo-rèile gus an do ràinig iad an taigh-òsta aca.

Fhuair iad na h-iuchraichean, thilg iad an cuid bhagaichean air an leabaidh agus dh'fhàg iad an taigh-òsta sa bhad a-rithist. Cha robh ach aon amas aca, agus b' e sin an seann seòladh aca, Bernauer Straße. Ràinig iad an t-àite gu math luath agus cha b' e ruith ach leum nuair a dh'fhàg iad an trèana. Lean iad na sanasan a-mach air an stèisean, ràinig iad an t-sràid fhèin agus chan fhaca iad... dad.

Dad sònraichte co-dhiù ach sràid fharsaing is fhada le trafaig a' bhaile mhòir oirre. Ach dè eile a bhithear a' sùileachadh?

'S e briseadh-dùil a bh' ann do Chaitrìona nuair a chunnaic i nach robh sìon de na taighean air taobh Sear na sràide air fhàgail.

'Seadh, chaidh an leagail sa bhad le riaghaltas an Ear às dèidh dhaibh uile fhalamhachadh,' thuirt Alexander.

Cha do fhreagair Caitrìona. Cha robh i airson bruidhinn. Agus cha robh fios aice air dè a bha i a' sùileachadh. Is dòcha sanas mòr a dh'innseadh don t-saoghal mu mar a thachair dhaibh? Taigh le ròpa a' sìneadh à aon de na h-uinneagan? Bha dealbhan na h-inntinn nach robh co-ionann idir ri na chunnaic i an seo. Bha iad a' coimhead air a' chèile gun facal a ràdh.

Choisich iad suas an t-sràid. Às dèidh greis ràinig iad pìos den bhalla a bha air fhàgail. Seòrsa de thaigh-tasgaidh fosgailte a bh' ann an-diugh far am faiceadh daoine mar a bha e nuair a bhiodh am balla na chrìoch bhrùideil is chunnartach. Bhon taobh an Iar chan fhaca iad ach am balla liath a chìte air an telebhisean – uaireannan air a pheantadh le graffiti mòra ann an iomadh dàth. Ach air an taobh an Ear mhothaich Caitrìona an stiall fearainn far nach robh dad a' fàs. Bha e air a chòmhdachadh le gainmhich gus am faiceadh na saighdearan lorgan nam fògarrach gus grèim fhaighinn orra. Chunnaic i na uèirichean. Nan tuislicheadh tu thairis orra rachadh do losgadh le gunnaichean automataigeach. Agus air an taobh eile den stèill bha feansa air a leantainn le balla eile. Agus chunnaic i na croisean, a' cuimhneachadh nam marbh, daoine a dh'fheuch ri teicheadh – daoine a chaidh a losgadh – mar a losgadh tu cuideigin ann an cogadh.

Bha tòrr luchd-turais mun cuairt a' togail dhealbhan. Bha cuideigin na seasamh ris a' bhalla agus reòiteag na làimh agus i ag òl cupa cofaidh, clann a' cluich anns a' ghainmhich.

'An robh fios agad air sin air an taobh agad den bhalla?'

---

tuislich, tuisleachadh *stumble*

'Bha gu dearbh,' fhreagair Alexander. 'Bha fios againn uile air na bhiodh a' tachairt, nam feuchadh tu ri teicheadh. Agus mar a b' fhaisge air a' bhalla a dh'fhuiricheadh tu, b' ann a bu soilleire a bha e, gum b' e prìosan a bh' anns an dùthaich sin.'

Ràinig iad an t-ionad-fiosrachaidh leis an taisbeanadh. Chaidh iad seachad air na dealbhan.

Gu h-obann stad Alexander agus sheall e air tè de na dealbhan. Sreath thaighean ri fhaicinn.

Sheall e air aon de na taighean.

Choimhead Caitrìona air agus bha fios aice sa bhad air na bhiodh a bràthair ag innse dhi a-nist.

'Sin e, an dachaigh againn.'

19

Alexander has taken her to see places of significance to their family in Germany. Now it's Caitriona's turn to take him to her home in Uist.

Sin e, an dachaigh againn.

Às dèidh dhaibh an taigh-tasgaidh fhàgail bha Alexander air dachaigh eile a shealltainn do Chaitrìona, an taigh-cùraim chloinne far an do thogadh e, chunnaic i am prìosan far an robh a h-athair air bliadhnaichean a chur seachad. Agus mu dheireadh thall bha iad air turas a dhèanamh a Photsdam gu lùchairt Sanssouci. Chunnaic i na gàrraidhean àlainn timcheall air an lùchairt, an t-àite far an do dh'ionnsaich Alexander gàirnealaireachd.

Bha a h-inntinn làn ìomhaighean is beachdan air an t-slighe air ais dhachaigh.

Dachaigh a bhiodh i a' sealltainn a-nist do dh'Alexander a bha na shuidhe ri a taobh anns an itealan gu ruige Dùn Èideann.

20

Màiri is disturbed by footsteps in the corridor, convinced that people are coming for her. It's a good thing she's got the rope, just in case.

Thigeadh iad.

Bu chinnteach gun tigeadh.

Chuala i iad a' teannachadh air an fhlat.

Chuala i glaodh Hans.

Chuala i iad a' briseadh tron doras.

Chunnaic i e fa comhair.

Nuair a chaidh a tharraing air ais bhon t-sluagh-phoilis.

Nuair a dh'èigh e a h-ainm.

Nuair a chuala i e an turas mu dheireadh.

Dh'èirich i agus chaidh i chun a' phreasa.

Bha an ròpa ann fhathast.

Bha iad a' feuchainn ris an ròpa ud a thoirt air falbh bhuaipe ach nuair a bhiodh iad air chuairt air an tràigh thoisicheadh i air piosan de ròpanan a chruinneachadh a-rithist agus a-rithist, ròpanan a bheireadh a' mhuir a-staigh bho na bàtaichean-iasgaich.

Mu dheireadh thall bha iad air gabhail ris gum biodh ròpanan aice na seòmar.

Bha fear eile falaichte a-muigh ann am preasa beag san trannsa. Cha b' urrainn dhi a bhith às aonais ròpa faisg oirre on latha sin – on a bha a beatha an crochadh air pìos dheth.

Thug i air ais e don phreasa.

Thigeadh an latha nuair a bhiodh feum aice air.

Chaidh i air ais don leabaidh, ged a bha fios aice gun

tòisicheadh an aon droch-aisling a-rithist.

Uaireannan chluinneadh i ceumannan anns an trannsa agus bhiodh an dearg eagal oirre. Thòisich an aisling a-rithist on thàinig i don taigh-chùraim seo. 'S ann bho thàinig i a dh'Alba a dh'fhiosraich i aisling airson a' chiad uair.

Cha sguireadh i.

Cha sguireadh i gu bràth tuilleadh agus bha fios aice carson.

B' ise a bu choireach.

Gun teagamh sam bith.

Ceumannan eile san trannsa.

Thug i sùil air an uaireadair.

Trì uairean sa mhadainn.

An t-àm àbhaisteach do Mhàiri Ailig air an t-slighe don taigh-bheag.

Thionndaidh i agus thuit i na cadal a-rithist.

21

Caitriona arrives home with Alexander to find that a window has been broken. Her plan is to take him to visit their mother and to ask her about what happened in 1961, but Hans's letters have yet another secret to reveal.

Rinn an t-itealan laighe ann an Dùn Èideann. Cha robh mòran daoine ann agus mar sin chaidh aca an cuid mhàileidean a thogail gu math luath. Dh'fhàg iad togalach a' phuirt-adhair agus chaidh iad gu stèisean nan tramaichean far an do ghabh iad trama gu ruige raon-parcaidh Ingliston far an robh càr Caitrìona.

'Nì mise an aon rud nuair a shiubhlas mi,' thuirt Alexander le gàire. 'Fàgaidh mi an càr an àiteigin faisg air a' phort-adhair far a bheil parcadh saor is an asgaidh.'

Choimhead Caitrìona air, rinn i gàire cuideachd agus fheagair i, 'Is coltach gu bheil an teaghlach Schmidt rud beag spìocach, eh?!'

Gu h-obann bha Alexander a' faireachdainn gun robh e toilichte. An teaghlach Schmidt. Sin na bha e ag ionndrainn cho fada. Gun robh teaghlach ceart aige. Bha e do-chreidsinneach dha gun robh e na shuidhe ri taobh a pheathar agus gun robh iad a' dol a chèilidh air am màthair.

Ach is e an fhìrinn a bh' ann.

Ràinig iad an t-Òban feasgar is ghabh iad seòmar ann an taigh leabaidh is bracaist far am b' àbhaist do Chaitrìona fuireach nuair a bhiodh i a' siubhal don eilean.

Air an fheasgar seo bha coltas gun robh a h-uile taigh-bìdh làn luchd-turais. Cha robh cothrom air is aig a' cheann thall chaidh iad don chidhe agus ghabh iad truinnsear làn den mhaorach a bu bhlasta a dh'ith Alexander a-riamh. An uair sin dusan eisir agus pìos giomaich eile. Agus nuair a bha pinnt leanna nan làmhan às dèidh sin, 's ann air an dòigh glan a bha iad.

Bràthair agus piuthar air choreigin ann an àiteigin a' gabhail deoch còmhla. Rud a thachradh mìle uair a h-uile latha air feadh an t-saoghail. Dhaibh-san 's e rud air leth a bh' ann.

An ath latha ghabh iad am bàta.

Às dèidh turais shocair is rèidh ràinig am bàta an cidhe mu dheireadh thall. Cha robh fios aig Alexander cia mheud dealbh a bha e air togail – bha na chunnaic e cho anabarrach àlainn nach robh fios aige dè an taobh a choimheadadh e an toiseach.

'Tha beagan eagail orm,' thuirt e gu h-obann ri Caitrìona. 'Saoil dè chanas iad agus mi a' nochdadh an seo gun fhiosta dhaibh. A bheil fios aig càirdean d' athar gun robh cuideigin eile ann am beatha do mhàthar?'

'Ar màthair-ne,' cheartaich Caitrìona. Cha robh i air smaoineachadh air an sin. Nach neònach nach do smaoinich i air a h-athair Uibhisteach idir. Cha robh e ceart, bha fios aice air glè mhath. B' e athair gaolach, math dhi a bh' ann gun teagamh, bha i ga ionndrainn gu mòr fhathast on a chaochail e agus anns an dearbh mhionaid nuair a thàinig na beachdan sin na h-inntinn, bha eagal oirre fhèin, eagal gun do rinn i mearachd gun tug i a bràthair leatha.

Saoil am biodh a h-uile duine eile anns a' bhaile cho toilichte ma dheidhinn 's a bha i fhèin?

Ach a-nist bha e ro fhadalach. An ceann leth-uair a thìde bhiodh i aig an taigh agus chitheadh a h-uile mac-màthar e agus bha cruaidh fheum air mìneachadh a bhiodh iad a' tuigsinn.

Agus bha i an dòchas gum faigheadh i am mìneachadh seo à beul a màthar fhèin mu dheireadh thall.

Gheibheadh i a-mach dè thachair ann am Berlin air an latha bhrèagha ud san Lùnastal sa bhliadhna 1961.

Dh'fhàg iad am bàta agus cha b' fhada gus an do ràinig iad an ath bhaile agus iad a' dràibheadh seachad air an taigh-chùraim far an robh am màthair. Cha do stad iad ach chùm iad orra suas gu deas gus an do ràinig iad an taigh beag far am b' àbhaist do mhàthair Caitrìona a bhith a' fuireach mus do dh'imrich i.

Bha an taigh air fàs na b' fhuaire agus na bu fhliuche on a bha Caitrìona air a bhith ann an turas mu dheireadh. Togalach falamh, fuar, fliuch, gun bheatha ach làn chuimhneachan. Cha mhòr gum bu dùraig dhaibh bruidhinn. Seòrsa taigh-adhlacaidh a bh' ann.

Chunnaic Caitrìona gun robh toll anns an uinneig mhòir san t-seòmar-suidhe. Agus gu dearbh fhèin bha na faoileagan air tighinn a-staigh mar a chunnaic i leis an t-sòfa agus e làn salachar-eòin. Dhùin Alexander an toll le pìos plastaig a lorg e air an làr nuair a mhothaich e bogsa air a' bhòrd.

'An e sin am bogsa leis na litrichean?'

''S e, agus tha fear eile anns an t-seòmar-chadail,' freagair a phiuthar.

'Am faod mi...?'

'Faodaidh gu dearbh. Chan fheum thu faighneachd dhìomsa.'

Rinn Alasdair suidhe is thòisich e air rùrachadh anns na litrichean. Dh'fhalbh Caitrìona a dhèanamh tì anns a' chidsin.

'Chan eil bainne againn, thèid mi a dh'fhaighneachd de Chrissie an ath-dhoras,' dh'èigh i bhon chidsin is chuala Alexander an doras a' dùnadh.

Bha e leis fhèin an taigh a mhàthar.

Bha e a' coimhead mun cuairt. Truinnsearan à iomadh àite bho air feadh an t-saoghail an crochadh air a' bhalla. Crois os cionn an dorais don trannsa. Leabhar no dhà ann an sgeilp. Agus na litrichean. Cha robh e ag iarraidh an leughadh.

---

taidh-adhlacaidh *mausoleum*

Dhùin e am bogsa.

Chaidh e tron trannsa.

Cha robh dad inntinneach innte.

Agus an cidsin cho àbhaisteach ri àbhaisteach. Sìmplidh, goireasach, glan. Ach fiolan-glas no dhà air an làr a' ruith air falbh eadar an stòbha agus an sòfa.

An seòmar-cadail: chunnaic e gun do thòisich Caitrìona air sgioblachadh agus rudan a shadadh. Bha na preasan fosgailte agus bha fàileadh ceimigeach anns an t-seòmar. Is dòcha an aghaidh nan leòmanan.

Air an leabaidh bogsa eile agus litrichean sgapte mu thimcheall.

Nach neònach e uaireannan gun lorgar fianais gun sireadh, gun iarraidh agus gun fhiosta dhuinn.

Is e sin mar a thachair do dh'Alexander nuair a mhothaich e an litir ud. Cha robh i ann an cèis, bha i air tuiteam don làr agus mhothaich e dhi air sàilleibh 's gun robh coltas annasach oirre ann an dòigh air choreigin. Thòisich e a leughadh:

Marie,

'S fhada on a chaidh ar sgàradh bho a chèile san Lùnastal ud ann am Berlin. Cha robh mi a' tuigsinn carson nach do fhreagair thu na litrichean agam a-riamh. An toiseach nuair a bha mi fhathast anns an Ear, bha mi a' smaoineachadh nach do sgrìobh thu gus nach fhàsadh cùisean na bu duilghe dhomh an seo. Agus nuair a bha mi anns an Iar, mheasadh leam gum fuilingeadh tu a cheart cho trom riumsa is nach bu dùraig dhut sgrìobhadh thugam às dèidh nam bliadhnaichean uile. Beagan cids, nach e?!

Thill Caitrìona leis an tì agus shìn i cupa dha.

'Fàg an tì, dèan suidhe agus leugh sin,' thuirt Alexander le guth stadach.

---

fiolan-glas *silverfish*
leòman *moth*

Mhothaich i gun robh e ann an staid uabhasaich, rinn i suidhe ri thaobh is leugh iad còmhla.

Ach a bheil fios agad dè thachair an t-seachdain sa chaidh? Thàinig fear-ceasnachaidh bhon phoileas a chèilidh orm. Thuirt e gum biodh ceist no dhà aige mum bheatha anns an Ear agus dh'fhaighnich e dhìom am bithinn deònach a chuideachadh.

Agus an uair sin thachair rud a bha na annas dhomh dha-rìreabh. Sheall e dhomh dealbh is seann fhoirm-cheasnachaidh à Berlin an Ear. Smaoinich thusa cò chunnaic mi air an dealbh ud ach thu fhèin. Agus na chois, cairt-aithneachaidh STASI, am fear beag uaine, a bheil fios agad, am fear air an robh sinn uile eòlach agus air an robh eagal oirnn uile. Agus bha do dhealbh-sa air.

Liebe Marie, am b' e sin an duais a choisinn thu? Cead-siubhail don Iar airson na rinn thu fad bhliadhnaichean an siud? Deagh chleas a bh' anns a' phlana-theichidh a dh'innis thu dhomh. Agus mo thruaighe, nach aineolach mise! Mise gad chreidsinn, gum biodh e ag obrachadh. 'Eil fhios agad – gheibheadh tu mathanas bhuam fiù 's airson sin. Ach tha aon rud nach dìochuimhnich mise rim bheò agus is e sin gun do ghoid thu ar nighean. Ciamar fo ghrèin... ach fàgaidh mi e. Nach tu tha sgreataidh, nach tu tha olc, strìopach an STASI a bh' annad! Dìreach grànnda.

Leis an fhìrinn innse chan eil fhios agam tuilleadh dè chanas no dè sgrìobhas mi ach gu bheil thusa agus na rinn thu dìreach gus gòmadaich a thoirt orm!

Tha mi an dòchas nach fhaic mi a-chaoidh tuilleadh thu, oir chan eil fhios agam dè a dhèanainn an uair sin.

---

striopach *whore*

22

Màiri realises she shouldn't have left the letters in the house. There's nothing she can do about it now, but she has one last letter to write.

A' cuimhneachadh air ais, cha do thuig Màiri ciamar a b' urrainn dhi a bhith cho gòrach 's gun do dh'fhàg i na litrichean aig an taigh. Dh'iarr i air Dòmhnall Iain (bha esan a' smaoineachadh gum b' ise caraid dha) am faighinn air ais dhi ach on a bha doras an taighe glaiste, bha e air feuchainn ri briseadh a-staigh tron uinneig – an dearg amadan. Chuirte don phrìosan e anns na seann làithean ann am Berlin.

Mhothaich a nàbaidh dha agus chaidh aige teicheadh sa mhionaid mu dheireadh. B' fheàrr leatha gun robh i air an sgudal seo a losgadh no a shadadh na bu tràithe nuair a bha an cothrom air a bhith aice. Ach bha sin coma co-dhiù a-nist. On a bha fios aice air na dhèanadh i cha robh e gu diofar dè gheibheadh iad a-mach.

Dh'fhosgail i an drathair, thug i pàipear a-mach às agus chuir i air a' bhòrd e. An litir mu dheireadh a sgrìobhadh i, bha sin cinnteach. Bha a meuran rag agus cha b' urrainn dhi grèim fhaighinn air a' pheann tuilleadh.

Thigeadh iad.

Thigeadh iad gun teagamh.

Chaidh innse dhi leis a' bhanaltram gun robh iad air ruigsinn air a' bhàta feasgar.

Dh'fhosgail i doras a seòmair agus sheall i air gach taobh den trannsa. Cha robh anam beò ri fhaicinn. Uile anns na leapannan aca. Ghabh i an ròpa às a' phreasa is thug i leatha e don t-seòmar.

Dhùin i an doras gu faiceallach.

Dh'fhosgail i an uinneag.

Cheangail i an ròpa ri làimh na h-uinneige.

Chuir i am baga leis na rudan pearsanta aice ri taobh a leapa.

Chaidh i innte.

Bhiodh i a' feitheamh ris an àm cheart agus nan tigeadh iad, bhiodh i deiseal agus ullaichte.

Mu dheireadh thall thuit i na cadal.

23

Caitrìona and Alexander demand to see their mother straight away.
Màiri knew they would come, and she has prepared for this moment.

'Coma leam dè an uair a tha e, tha mise ag iarraidh a faicinn
sa bhad. Faodaidh tu tighinn còmhla rium ma thogras tu,
ach...'

'Fuirich ort. Cuiridh mi mo chòta orm is thèid mi còmhla
riut. Chan eil fhios agad càit an tèid thu an seo. Agus chan
fhaigh thu a-staigh don taigh-chùraim on nach eil duine
sam bith eòlach ort an sin.'

Ghabh Caitrìona a còta agus iuchar a' chàir is chaidh i
chun an dòrais. Bha Alexander a' feitheamh rithe a-muigh
ri taobh a' chàir mar-thà.

Dh'fhalbh iad agus an ceann deich mionaidean bha iad
aig doras an taigh-chùraim. Bha e fosgailte, mar a bha na
dorsan uile san eilean sin. Chaidh iad a-staigh agus thàinig
nurs Pèigi dhan ionnsaigh.

'A Chaitrìona, dè fo ghrèin... Eil fhios agad, dè an uair
a tha e?!'

Choisich iad seachad oirre gu luath gun fhreagairt
sam bith. Ghabh iad an lioft agus ràinig iad an treas làr
den togalach far an robh am màthair a' fuireach. Bha iad
a' coiseachd gu slaodach sàmhach sìos an trannsa, air
eagal agus gun dùisgeadh iad càch a bha nan cadal nan
seòmraichean. Bha iad a' dlùthachadh ri doras seòmar am
màthar aig ceann na trannsa.

Dhùisg Màiri.

Càr air an t-sràid.

Stad e air beulaibh an togalaich.

Sin iadsan.

An dithist.

Thàinig iad.

Dh'fhàg i an leabaidh agus rinn i èisteachd.

Chuala i an lioft an ceann eile den trannsa.

Sin iadsan.

Chuala i doras an lioft a' fosgladh agus a' dùnadh.

Dh'fhosgail i an uinneag agus thilg i a baga a-mach oirre.

Ghabh i an ròpa is dhìrich i air leac na h-uinneige.

An uinneag don Iar.

Cha robh eagal oirre nuair a sheall i sìos. Bha i air sin a dhèanamh roimhe, chunnaic i an luchd-smàlaidh agus na saighdearan Breatannach fainear dhi a bhiodh ga glacadh a-rithist.

Chuala i na ceumannan a' dlùthachadh.

Chunnaic i an doras a' fosgladh.

Fear àrd a' tighinn a-staigh.

Alexander – coltach ri athair.

No saighdear ga h-iarraidh?

Caitrìona ag èigheachd agus a' guidhe oirre gun a bhith a' leum.

Chan innseadh i dhaibh gu bràth.

Cha b' urrainn dhi.

Cus chuimhneachan.

Cus mhearachdan.

Cus cionta.

Leum i.

24

Màiri's letter explains so much, but it also leaves many questions unanswered.

Nuair a leughas sibh seo, bidh a' chùis seachad mu dheireadh thall. Fhuair d' athair a-mach agus tha sibhse air fhaighinn a-mach cuideachd. Bha fios agam gun tigeadh an latha ud. Gun tigeadh sibh. Seadh, bha ur n-athair ceart. Sin an duais a choisinn mi. Cead-siubhail don Iar. Ach chan ann dhomh fhìn a-mhàin. Chreid mi anns an t-siostam sin. Bha fios agam, agus tha mi cinnteach fhathast, gun robh siostam an DDR na b' fheàrr.

Agus mar sin bha mi ag obair airson tèarainteachd mo dhùthcha. An toiseach ann am Berlin far an do dh'fhàg an fheadhainn a b' fheàrr. Abair latha nuair a chaidh am balla a thogail. Bha smachd is làmh an uachdair againn air gnothaichean a-rithist. Ach bha obair eile a' feitheamh orm. Dh'fheuch iad mo chur faisg air an fheachd Bhreatannach gus obair-bhrathaidh a chur air dòigh. Ach dh'fheumadh coltas aineolach is neo-chiontach a bhith orm.

Mar sin am plana-teichidh. An leum às an uinneig don Iar. Boireannach bochd le nighinn bhig. Agus ur n-athair? Amadan bochd gun sgot idir. An toiseach ghràdhaich mi e. Duine gasta a bh' ann. Ach cha robh e freagarrach don t-siostam, don t-saoghal ùr a bha sinn airson a thogail. Chan e call a th' ann gun deach e don phrìosan. Agus tusa, Alexander – bha mi den làn bheachd gum biodh e na b' fheàrr nan rachadh do thogail ann an dachaigh nàiseanta chloinne seach a bhith *an làmhan d' athar. Phòs mi an saighdear ud agus bha mi ag obair dhaibh. Abair cothrom. Gach feasgar chuirinn leth-bhreacan de na litrichean a sgrìobh mi mar rùnaire gu taobh eile a' bhalla. Agus dh'imrich sinn a dh'Alba, fhuair e obair ùr aig na rocaidean anns an eilean an seo. Agus mise ag obair a-rithist mar rùnaire ri thaobh is chuirinn fiosrachadh mu na rocaidean gu Berlin an Ear.*

Ach thàinig an latha sin nuair a fhuair mi an litir à Köln, agus Hans a' sgrìobhadh gun d' fhuair e a-mach mu na rinn mi. Hans bochd aineolach. Cha do ghabh mi truas dheth. Ach bhon uair sin bhiodh eagal orm gun tigeadh e, gun tigeadh sibh latha brèagha air choreigin.

Agus thàinig sibh mu dheireadh thall.

Sin na th' agam ri ràdh.

Sin e.

Slàn leibh.

25

Caitrìona and Alexander are once again in their mother's house. The sunlight glints through the window, but clouds are gathering in the west and it looks like rain.

Siud mar a bha na h-eileanaich. Ged a bha fios aig a h-uile duine dè seòrsa boireannaich a bha air a bhith ann am Màiri NicDhòmhaill-Schmidt, thàinig iad uile don tiodhlacadh gus cùl-taic a thoirt don dithist òga – Caitrìona air an robh iad eòlach uile, agus a bràthair air an robh coltas gasta.

Feasgar a bh' ann agus bha iad leotha fhèin mu dheireadh thall ann an taigh a' bhoireannaich air an robh iad a' smaoineachadh cho fada mar mhàthair ghaolaich. Bha i brèagha a-muigh agus dh'fhiar gath grèine a-steach tron uinneig. Bha sgòthan a' dlùthachadh bhon Iar agus bhiodh an t-uisge ann a dh'aithghearr.

Sheas Alexander aig ceann an t-sòfa, ghabh e fàd agus chuir e air an teine e, an uair sin ghabh e am botal bhon bhòrd is dhòirt e tè bheag do a phiuthar is dha fhèin.

Rinn e suidhe, thug e an glainne dhi agus dh'òl iad.

'Saoil dè nì thu leis an taigh?' thuirt e.

'Is leatsa an taigh seo cuideachd a-nist, dè nì thu fhèin leis?' fhreagair ise is dh'òl i a-rithist.

'Sin an aon dìleab a th' againn. Bho athair nach robh nar n-athair idir, agus bho mhàthair a bha... ach fàgamaid sin.'

Thionndaidh Caitrìona a ceann do dh'Alexander.

'Saoil an gabh sinn cuairt don tràigh?'

Dh'aom e a cheann mar aonta.

Dhùin iad an doras às an dèidh agus dh'fhalbh iad.